Cyngor
Carmart

LLYFRGELLOEDD CYHC

Dyddiad dychwelyd

Awdur
Author Daniel, Stéphane

Enw
Title L'écrivain mystère

Pour Melissa

L'ÉCRIVAIN
MYSTÈRE

te salue !

Amicalement

DANIEL

Du même auteur, dans la même collection :

Avant qu'il soit trop tard
Un tueur à la fenêtre

L'ÉCRIVAIN
MYSTÈRE

STÉPHANE DANIEL

RAGEOT

ISBN 978-2-7002-3142-7
ISSN 1766-3016

Pour Pat, mon ami,
qui sait exactement pourquoi…

LES TROIS COUPS

– À ton avis, il ressemble à quoi?

Zinédine hausse les épaules et retourne le livre qu'il tient entre ses mains depuis un bon moment, étudiant la quatrième de couverture alors qu'aucune photo de l'auteur ne s'y trouve. Il prend bien le temps de réfléchir. Je suis habitué. Mon copain Zinédine est un intellectuel qui ne bafouille jamais de la pensée. Il tourne sept fois son cerveau dans son crâne avant de se prononcer. La première fois que je l'ai rencontré, l'année dernière, au CM1, alors qu'il quittait Meaux pour emménager à Paris, il a mis une minute trente chrono pour me donner son prénom.

– Je n'en ai aucune idée, dit-il enfin.

Ma patience est récompensée…

Derrière son bureau, Morgane, la maîtresse, fronce les sourcils. Je me suis rapproché de mon voisin de table, elle se doute que ce n'est pas pour résoudre le problème dont elle a copié l'énoncé au tableau. Zinédine-Lucas, le duo infernal! soupire-t-elle souvent. Dans trois secondes, elle va reprendre son refrain préféré : raisonnement, opérations, solution. Puis elle nous laissera plancher en tapant du pied sur l'estrade, elle battra des cils en pinçant les lèvres jusqu'à ce que l'un d'entre nous propose une réponse à côté de la plaque. Deux petites tornades viendront alors se loger au milieu de ses yeux avant que Zinédine ne se décide enfin à nous sauver la mise en levant la main.

N'empêche, des maths maintenant, en voilà une idée curieuse! Elle s'en doute, Morgane, qu'on a la tête ailleurs. Cet ailleurs, il s'appelle Thibault Anderson!

De lui, nous savons tout, ou presque. Qu'il est écrivain, qu'il écrit des romans policiers, une trentaine publiés à ce jour, et que son dernier, *L'assassin fait le mort*, est quasiment assuré de gagner le prix Encre Noire qui récompensera le meilleur livre proposé aux élèves de CM2 dans le XXe arrondissement de Paris, là où se trouve notre école.

Six titres figurent dans la sélection et celui de Thibault Anderson a marqué un maximum de points dans notre classe. S'il nous a plu, il ne peut que triompher partout. Le plus beau, c'est que nous attendons l'auteur d'une minute à l'autre. Oui, Morgane et lui sont entrés en contact et il a accepté sans hésiter le principe d'une rencontre.

Cette rencontre, nous l'avons préparée avec la maîtresse hier. « Vous allez voir un écrivain, nous a-t-elle annoncé avec solennité, une occasion en or pour vous de découvrir l'envers du décor, d'apprendre comment se développe une histoire, de pénétrer la magie de l'écriture. » On devinait à ses yeux illuminés comme une vitrine de Noël que cette rencontre avait pour elle beaucoup d'importance, à la limite plus que pour nous.

Un écrivain.

Ce mot revenait sans cesse dans sa bouche, elle le mâchait comme un chewing-gum qui aurait toujours du goût.

Elle a vite déchanté quand les premières propositions de questions ont fusé.

Raymond : « À quelle heure vous vous levez ? »

Farid : « Qu'est-ce que vous faites comme sport ? »

Salamata : « Vous gagnez combien ? »

Nathalie : « C'est quoi vos émissions de télé préférées ? »

Son sauveur est arrivé, il a signé le questionnaire d'un Z qui voulait dire Zinédine : « Comment vous vient l'inspiration ? » a lâché mon copain.

La maîtresse a souri, soulagée. « Voilà enfin une question intéressante, les enfants ! a-t-elle enchaîné, concentrez-vous sur le processus de création, les méthodes de travail, ça pourra vous servir, d'autant que Thibault Anderson et moi-même, nous aurons une bonne surprise à vous annoncer à l'issue de cette discussion. »

Évidemment, elle n'a rien voulu nous révéler sur cette fameuse surprise, et nous avons continué à élaborer notre questionnaire sur le « processus de création » et autres « méthodes de travail »… Nous sommes fin prêts, il ne manque plus que l'écrivain.

Son arrivée est prévue vers quatorze heures.

Et il est treize heures cinquante-cinq à l'horloge murale.

Au tableau, le problème de maths attend sa solution. J'espère pour lui qu'il n'est pas pressé.

Je scrute la nuque de Marion, assise devant Zinédine et moi. Le châtain de ses cheveux, c'est ma couleur préférée. Je les regarde souvent, ses cheveux.

Pour être honnête, pas seulement les cheveux... Marion, je pourrais vous en parler pendant des heures. Mais ce sera pour une autre fois.

On a frappé.

Trois coups, à la porte. On dirait le début d'une pièce de théâtre.

Nous allons enfin découvrir la tête de l'écrivain !

– Entrez ! dit Morgane.

DES RÉPONSES
QUI POSENT QUESTION

Mon regard est braqué sur la porte. Je suis impatient de mettre à l'épreuve mes talents de visionnaire, car, en me plongeant dans les livres de Thibault Anderson, j'ai eu le temps de l'imaginer. Dans ses romans, ça ne rigole pas. Il est question de racket, de vols, d'agressions multiples, et j'en passe. Les phrases sont aussi brèves que des rafales de mitraillettes.

À mon avis, celui qui crée un univers pareil ne peut être que grand, mince, avec un visage étroit, deux yeux noirs qui brûlent au fond des orbites et des cheveux charbonneux de guer-rier sioux. Question vêtements et accessoires, je vois une veste en daim, un bracelet argent et une grosse bague en forme de tête de mort qui brille à son annulaire. Bref, un fauve des cités.

La porte s'ouvre…

Heureusement que je n'ai pas parié…

Toute la classe se lève, la maîtresse se précipite vers Thibault Anderson qui se tient sur le seuil.

La quarantaine, les cheveux courts, il porte un costume beige avec une cravate grenat. Le sourire qu'il nous réserve me donne immédiatement l'impression qu'il est là pour nous vendre des encyclopédies. Je peux faire une croix sur mon guerrier sioux.

Morgane sautille jusqu'à lui et l'invite à s'avancer. Elle lui souhaite la bienvenue en s'emmêlant les syllabes et présente la classe en précisant combien nous sommes fiers de l'accueillir, les enfants ont adoré votre livre, ils ont plein de questions à vous poser, quelle chance ils ont de recevoir un écrivain et j'espère que tout se passera bien, si vous avez besoin de quoi que ce soit n'hésitez pas…

Nous n'avons pas encore entendu le son de sa voix.

Il regarde Morgane sans cesser de sourire. Ce soir, il aura un mal de joues carabiné. Il aurait dû prévoir des élastiques.

– Bonjour tout le monde! dit-il enfin, profitant du moment où la maîtresse reprend son souffle. Alors comme ça, vous avez aimé *L'assassin fait du sport*?

Éclat de rire général.

– C'est pas « fait du sport », m'sieu, s'exclame Salamata, mais « fait le mort » !

Le sourire de l'écrivain se fige un instant, il passe en revue nos visages hilares et nous applaudit :

– Bravo ! Vous n'êtes pas tombés dans le piège, je voulais m'assurer que vous aviez bien lu mon livre !

Morgane se trémousse et dodeline de la tête.

– Je puis vous assurer qu'ils l'ont lu, embraye-t-elle presque gênée, ainsi que d'autres titres de votre œuvre ! Ils ont un tas de questions…

– Je suis à votre disposition, enchaîne alors Thibault Anderson en se plaçant face à nous, les mains dans les poches.

Son regard nous a quittés. Il plane au-dessus de nos têtes, vers la bibliothèque qui occupe toute la largeur du mur. Des bras se lèvent, dont le mien.

L'écrivain tarde à y prêter attention. Mais qu'est-ce qui l'intéresse donc tant au fond de la classe ?

– Marion ! propose la maîtresse pour lancer la machine.

– Monsieur Anderson, commence-t-elle, comment devient-on écrivain ?

J'adore la voix de Marion. Je l'écouterais des heures me réciter les tables de multiplication, ou le présent du verbe aimer.

Anderson bombe le torse et répond :

– Écrire est une passion pour moi, j'ai tout sacrifié à cette activité, mes premiers livres n'ont pas rencontré un succès extraordinaire mais je me suis accroché, et j'ai bien fait, la preuve !

La preuve ? Quelle preuve ? Fin de la réponse. On reste un peu sur notre faim. Claudia embraye.

– C'est quoi, pour vous, un écrivain ?

– Un écrivain ? Pour moi ? Simple. Un type qui gagne du pognon sans trop se fouler ! Un... Euh... Non, je plaisante évidemment.

Morgane le fixe, tétanisée. Son sens de l'humour lui échappe un tantinet.

– ... C'est un passeur, quelqu'un qui communique avec des mondes ignorés. Quelqu'un qui PENSE avec des mots !

J'ignorais que les gens qui ne sont pas écrivains pensaient avec des crêpes. Ou encore des roues de voiture. J'ai du mal à le suivre.

– Une autre question ?

Paul prend le relais au premier rang.

– Vous lisiez quoi quand vous étiez petit ?

– Cela remonte à tellement longtemps. Voyons voir...

Il traverse la salle en empruntant l'allée centrale. La bibliothèque contient des rangées de romans accumulés par Morgane depuis qu'elle travaille dans notre école.

Les livres pour la jeunesse, elle les dévore et les chouchoute au point de tourner les pages avec un plumeau. Si quelqu'un a le malheur de corner une page, elle entre dans une fureur noire. Comme rien ne s'abîme, tout se conserve, et sa collection est devenue importante. Anderson s'approche des rayonnages et laisse courir son index le long d'une tablette en récitant quelques titres.

– Ceux-là ne m'évoquent aucun souvenir, mais très jeune – j'avais douze ans – j'ai dévoré tout Victor Hugo, *Robinson Crusoé, Les Aventures de Tom Sawyer, Le Dernier des Mohicans, Croc-Blanc*… J'aimais la grande aventure, les grands espaces, les grands destins…

C'est là que Zinédine décide d'intervenir. Une improvisation. Il aurait cherché à mettre tout le monde mal à l'aise qu'il ne s'y serait pas pris autrement.

Et il y va franchement…

UN PETIT TOUR AUX ARCHIVES

– Alors pourquoi vous n'écrivez que des livres qui se passent dans des villes ? demande Zinédine en regardant l'écrivain droit dans les yeux.

– Hein ?

Anderson a l'air perdu. Son sourire pend à sa lèvre inférieure.

– ... Mais, mon garçon, on ne cherche pas forcément à reproduire ce qu'on a aimé. La vie m'a conduit sur d'autres chemins, voilà tout !

– Ah.

Un malaise a envahi la classe qui baigne dans un silence gêné. Zinédine n'est pas convaincu. Je le connais, mon copain. Son « Ah » en dit long.

Toujours planté près de la bibliothèque, Thibault Anderson lui tourne le dos. Courbé, il semble étudier le dos des livres alignés près du montant droit. Derrière lui, sans qu'il y prête attention, les bras levés se fatiguent. Dont le mien.

– Oui, Lucas! propose Morgane.

Marion se retourne. Ses yeux se posent sur moi. Va falloir être brillant. Je me décide :

– Monsieur, quel est votre rythme de travail?

Il me tourne toujours le dos. Ce n'est pas très poli. Preuve qu'il a quand même entendu ma question, il me répond :

– Doucement le matin, pas trop vite le soir.

Derrière son bureau, la maîtresse tousse discrètement dans son poing fermé. Elle n'aimerait pas qu'on reprenne cette formule à notre compte les veilles de contrôles.

Bizarrement, moi aussi je me sens agacé. Thibault Anderson n'a pas l'air passionné. Il pourrait faire un effort.

L'écrivain s'est replacé près de l'estrade. Les questions se succèdent. Ses réponses sonnent creux.

Tout à coup, Zinédine lève la main. Morgane l'aperçoit et lui donne immédiatement la parole. Mon copain se racle la gorge et :

– Dans *L'assassin fait le mort*, où Boris trouve-t-il l'arme qui lui sert à menacer le gardien de son immeuble? Vous écrivez qu'il la sort d'une boîte à biscuits dissimulée dans sa cave alors que cette cave a été fouillée, la veille, par les policiers qui mènent l'enquête.

La question qui tue !

Très technique. Pointue. Une question zinédienne. Inutile que je raconte l'intrigue du roman d'Anderson pour la comprendre, il suffit de savoir que dedans il y a un Boris, un gardien d'immeuble, une arme et une boîte à biscuits.

Thibault Anderson pâlit légèrement. Zinédine et lui ne vont pas devenir copains.

– Oui… bredouille-t-il, d'accord… eh bien c'est-à-dire que… je le dis avant… ou après, je ne sais plus… Tu imagines, je l'ai écrit il y a longtemps, ce sont des détails…

Son visage s'illumine brusquement.

– Les policiers, es-tu bien sûr qu'ils ont trouvé la boîte ?

Pour seule réponse, Zinédine se contente de prendre le livre posé sur sa table. Il l'ouvre, le feuillette rapidement, s'arrête sur une page.

– Milieu du chapitre V, dit-il. « Le lieutenant Kamel s'empare de la boîte échouée sur un squelette de poste radio et l'ouvre. Vide. Il la jette au fond de la cave. »

L'écrivain se renfrogne.

– J'avais oublié, grogne-t-il en évacuant le problème d'un geste de la main. Avez-vous d'autres questions ? À moins que la maîtresse ne désire vous annoncer tout de suite la bonne nouvelle ?

La diversion tombe pile pour lui sauver la face. Qu'est-ce qu'ils nous ont préparé tous les deux ?

Morgane contourne son bureau et se place près de l'écrivain.

– Oui, poursuit-elle. M. Anderson et moi-même avons pensé qu'il vous plairait sans doute de jouer aux apprentis écrivains. Il se propose de mener avec vous un atelier de création littéraire. Vous allez, sous sa conduite, construire un récit policier, puis le rédiger. M. Anderson sera votre guide. Il nous rendra visite à cinq reprises. Au bout de ces cinq séances, vous devrez avoir achevé votre nouvelle. Un concours est organisé à l'échelle de la circonscription, concours dont les résultats seront proclamés le jour de la remise du prix Encre Noire.

Une bonne moitié de la classe exulte sur place. Chouette ! Génial ! Super !

Zinédine me regarde. Il hausse les sourcils et se penche vers moi.

– Je dois vérifier quelque chose pendant la récréation. Tu m'accompagnes ?

– Évidemment.

C'est le moment que choisit la sonnerie pour retentir.

Nous sortons en saluant l'écrivain au passage, au revoir à bientôt et merci encore, puis nous rejoignons la cour.

Entre nous, les avis sont partagés. La grosse majorité a trouvé Anderson intéressant et rigolo, d'autres ne sont pas emballés par sa prestation. On fait partie des autres. Avec Zinédine, on s'écarte. Marion se cale dans notre sillage.

– Tu en as pensé quoi ? je lui demande aussitôt.

– Que s'il a écrit son livre, il ne l'a pas lu.

– Comme nous ! lâche Zinédine. Alors bienvenue au club ! Suivez-moi !

– Tu nous emmènes où ?

Il me fixe avec un air de conspirateur.

– À la BCD.

Nous lui emboîtons le pas. La bibliothèque de l'école est située à l'écart du bâtiment principal, dans un préfabriqué ; on y accède par la cour. Elle est ouverte aux élèves pendant les récrés.

Quand nous y pénétrons, elle est vide. La cour baigne sous le soleil d'avril, les ballons et les élastiques sont de sortie et la lecture remise à plus tard.

– C'est dans ce coin, déclare Zinédine en se dirigeant vers un casier.

Il consulte la collection de *Bouquin Bouquine* rangée là, un mensuel qui, en plus de rubriques régulières, propose un roman inédit à chaque numéro.

Pendant qu'il fouine, il nous explique.

– Au cours de l'entretien, ça m'est revenu; Thibault Anderson a écrit un *Bouquin Bouquine* il y a un peu plus d'un an, et donné une interview dans la foulée… C'était un peu avant les grandes vacances… Ah! Le voilà!

Victorieux, il tire une revue du casier et nous la montre. Le titre de l'histoire : *Meurtre virtuel*. Zinédine consulte le sommaire.

– Page 56, on y arrive.

Sans se soucier de notre présence, il commence à lire l'interview. Je vois son regard descendre les lignes comme une balle de flipper affolée.

– Tenez, voyez vous-mêmes! propose-t-il bientôt en nous tendant son exemplaire, vous n'allez pas être déçus.

Marion se colle à mon épaule et nous lui obéissons.

La lecture achevée, nous nous regardons tous les trois.

– Alors ça! je dis complètement soufflé, c'est vraiment incroyable!

UN COIN
D'OMBRE CHINOISE

Touillée par les jets de la fontaine centrale, l'eau du bassin bouillonne. Derrière les grilles qui ferment le jardin de Belleville, des copains de la rue de Tourtille nous saluent et nous invitent à taper le ballon.

– Non merci! leur crie Zinédine.

Ils n'insistent pas. Malgré son prénom, il est maintenant admis dans le quartier que Zinédine déteste le foot. Il montrerait davantage de dispositions pour l'aide aux devoirs. Au point que, s'il le désirait, ce qui n'est pas encore le cas, il pourrait même concurrencer M. Claudel, notre instituteur de l'année dernière, qui profite de sa retraite toute fraîche pour fournir ses services au Relais de Belleville, l'association du quartier. Je suis bien placé pour le savoir, il me prend en soutien le mardi soir. C'est-à-dire dans une demi-heure.

À l'horizon, le soleil commence à piquer sur les toits. Après la sortie, on est venus ensemble s'asseoir au bord de l'eau, Marion, Zinédine et moi, pour essayer de tirer les conclusions de notre découverte.

L'interview donnée par Thibault Anderson à la revue *Bouquin Bouquine* était très instructive. En vrac, il déclarait n'avoir pas lu un seul livre avant l'âge de seize ans et avoir attrapé le virus de l'écriture en découvrant la littérature policière. De plus, il avouait avoir eu de la chance : son premier livre, un roman pour adultes, avait connu un tel succès qu'il l'avait mis à l'abri des problèmes d'argent pendant ses premières années d'écriture...

Étrange, non ?

– Ce qui est embêtant, dit Marion en ouvrant la revue, c'est ça !

Elle désigne du doigt le cadre situé en ouverture de l'interview. Normalement, à cet endroit, se trouve la photo de l'écrivain. À la place de Thibault Anderson, on ne voit qu'un buste découpé en ombre chinoise avec un point d'interrogation au milieu. L'invité mystère.

J'embraye :

– Il n'y a que deux possibilités. La première, par jeu, Thibault Anderson invente à chaque fois de nouvelles réponses aux questions qu'on lui pose. La seconde, ce n'est pas Thibault Anderson qui est venu dans notre classe aujourd'hui.

Les yeux de Marion s'agrandissent. Bien sûr, elle avait envisagé ces hypothèses. Mais dites aussi clairement, ça lui fait un drôle d'effet.

– Tu te rends compte ? s'affole-t-elle.

Oui je me rends compte. Si ce n'est pas l'écrivain qui s'est présenté à nous, qui est cet homme ?

Et surtout, pourquoi est-il venu dans notre classe ?

– Avec sa photo, on aurait été fixés… se lamente Zinédine.

– Pourquoi on ne téléphonerait pas à la revue ? s'exclame Marion, subitement inspirée. Ils ont peut-être gardé un cliché d'Anderson en réserve, et choisi de le remplacer par un point d'interrogation pour accentuer le côté mystérieux du personnage.

– Ça vaut le coup de tenter, juge Zinédine. Bonne idée ! Qui a une carte ?

Je lève la main.

– Moi !

Ils me suivent jusqu'à la cabine plantée en bordure du square Pali-Kao. Je glisse la carte dans la fente et, sous la dictée de Marion qui a posé la revue sur la tablette, je compose le numéro de *Bouquin Bouquine*.

– Comment s'appelle le journaliste ? je lui demande, pendant que les sonneries s'égrènent à l'autre bout du fil.

Elle recherche rapidement l'interview et regarde qui l'a signée tandis qu'une voix féminine m'accueille dans l'écouteur.

– Un certain Marc Giulani, me souffle-t-elle.

– Bonjour madame ! Pourrais-je parler à Marc Giulani, s'il vous plaît ?

La standardiste bascule la communication sur un autre poste et une voix grave remplace bientôt la sienne. Je lui explique la situation, sans lui confier nos doutes évidemment. Nous recevons Thibault Anderson dans notre classe, la maîtresse nous a invités à réunir un maximum d'informations sur son compte, y a-t-il des éléments qui ont été écartés de l'interview ? Et cette photo manquante ?

Lorsque je raccroche, mes amis, qui n'ont rien entendu, sont suspendus à mes lèvres. Ma mine déconfite leur indique qu'il ne faut pas s'attendre à un miracle.

– La tuile ! Il n'a pas rencontré Anderson. L'interview s'est faite par téléphone. Quant à la photo, l'écrivain avait promis de leur en fournir une, mais il n'a pas tenu parole. Avant d'envoyer la revue à la fabrication, ils ont remplacé le cliché manquant par un point d'interrogation. D'après ses souvenirs, l'écrivain était plutôt du genre réservé, modeste.

Il avait tendance à dénigrer la qualité de son travail.

– Une piste qui se transforme en impasse! conclut Zinédine.

– Ne baissons pas les bras, je reprends. Tant qu'on n'a pas de preuve, on garde ça pour nous, d'accord? Et on continue à le tenir à l'œil.

On se sépare sur ce serment expédié. Zinédine prend à droite la rue Julien-Lacroix pour rentrer chez lui, Marion et moi nous tournons à gauche. Le Relais de Belleville se situe rue de Ménilmontant. Marion habite près de l'église, je tiens une excellente excuse pour la raccompagner.

– Le dividende est le nombre qui est divisé, le diviseur celui qui divise. Une division, c'est un partage, imagine ton gâteau d'annivers... Lucas? Lucas tu m'entends?

Marion habite trop près. Le trajet s'est déroulé si vite que je n'ai pas eu le temps de lui dire quoi que ce soit d'important. Je me sentais intimidé, seul avec elle. Je l'ai regardée disparaître dans le hall d'entrée. Je n'ai pas osé lui demander ce qu'elle faisait ce mercredi. Je suis une vraie nouille.

– Lucas?

M. Claudel me tape sur l'épaule.

– Excusez-moi, je lui dis. Je pensais à autre chose.

– Tu devais déjà penser à autre chose quand ta maîtresse t'a expliqué cette noble opération qu'on appelle division... Nous n'avons pas beaucoup de temps.

Il me sourit. C'est avec nous qu'il a fini sa carrière, l'année dernière au CM1. Il m'a laissé passer au CM2 à condition que je le voie une fois par semaine au Relais. Si ce soutien devait s'interrompre, je ne sais pas à qui il manquerait le plus.

– On a vu un écrivain cet après-midi.

C'est sorti comme ça. M. Claudel aime que je le tienne informé de la vie de la classe, il joue les prolongations par procuration. Et puis pendant qu'on parle d'autre chose, on laisse les maths de côté. Je suis le roi de la diversion subtile.

– Il s'appelle comment?

– Thibault Anderson.

– Ce nom ne me dit rien.

Je n'en rajoute pas, me contentant d'exposer le projet que nous a soumis Morgane.

– Très bonne initiative! commente-t-il. On n'écrit jamais trop! Tiens, je passerai te prendre à la sortie de l'école mardi prochain, si tu n'y vois pas d'inconvénient. Je vais te faire un aveu, je m'y suis mis aussi. Oh, c'est sans prétention, mais dans une carrière d'instit, on en voit et on en entend de belles ! Je ne risque rien à tenter ma chance...

M. Claudel écrivain... Il va nous mettre dans ses bouquins, et on cherchera qui est qui dans *La Revanche du complément d'objet direct*, ou *La Malédiction du triangle isocèle*. Moi, si je devais écrire un livre, je l'appellerais *Échec aux maths*.

– ... Mais un problème se pose, je ne sais pas trop quel éditeur contacter. Il pourra sans doute me conseiller utilement. C'est bien mardi qu'il vient ?

– Oui.

– Il ressemble à quoi ?

– À rien.

Je ne peux quand même pas lui avouer qu'il ressemble à une silhouette marquée d'un point d'interrogation...

L'ATELIER
DE FILATURE

– Souriez !

Le visage de Thibault Anderson, ou de celui qui se fait appeler ainsi, disparaît derrière un appareil photo polaroïd. L'éclair du flash nous aveugle. L'appareil descend.

– Merci, dit-il en nous offrant son éternel sourire crispé, je voulais un instantané de la classe au départ du travail. Je prendrai une nouvelle photo à la fin et nous verrons si l'écriture vous aura physiquement transformés.

Marion lève la main.

– Vous étiez comment avant d'écrire ?

– Je pesais cent cinquante kilos et je portais des lunettes à double foyer, sourit-il. Les changements ont été spectaculaires, non ? On se met au travail ?

Nous y sommes. Première séance d'écriture, mardi, dernière heure. Morgane se tient assise derrière son bureau, un cahier ouvert devant elle, prête à prendre des notes. Elle laisse à l'écrivain le soin d'amorcer le travail. Il sera le chef d'orchestre et nous les musiciens. Je pense aussi qu'elle est impressionnée, qu'elle se place volontairement en retrait...

Nous attendons ce moment depuis une semaine. Anderson est souvent revenu dans nos discussions. Nous tenions un mystère et nous n'allions pas le laisser filer facilement. Quelques contrôles imposés en traître par Morgane ont douché notre enthousiasme. Nous avons quand même mené des recherches en librairie afin de trouver la photo de l'écrivain sur une jaquette de livre, mais échec sur toute la ligne. Aujourd'hui, l'aventure reprend.

– Dans une histoire policière, attaque Anderson, il faut qu'il se passe quelque chose de répréhensible au début. Il y a un coupable, un enquêteur et l'énigme doit être résolue à la fin. Vous allez chercher des idées...

– On peut se mettre par groupes ? je l'interromps.

Il regarde Morgane qui hoche la tête.

– Si vous voulez, concède-t-il. Puis vous préparerez un plan. Tout à l'heure, on regardera ça ensemble. Je jouerai vis-à-vis de vous un peu le rôle de l'éditeur.

– Avec le vôtre, comment ça se passe ? demande Morgane qui saute sur l'occasion.

Elle tient à ce qu'on apprenne un maximum de trucs. À moins qu'elle soit curieuse, tout simplement.

– Oh, les éditeurs n'y connaissent pas grand-chose, vous savez ! répond-il dédaigneusement. Pour eux, des livres ou de la soupe c'est du pareil au même, tant que ça se vend. Je ne les écoute pas trop. Le manuscrit, c'est comme une tranche de jambon, et les éditeurs utilisent leur crayon comme un couteau. Les bons enlèvent le gras, certains ne touchent rien et il faut aimer le gras, d'autres enlèvent du jambon. Mais dans mon jambon, il n'y a pas de gras, alors... Je suis maître de mon art et il n'est pas né celui qui m'imposera ne serait-ce qu'un changement de virgule ! Et si ça ne leur plaît pas, je vais voir ailleurs !

– Oui, évidemment, grince Morgane qui trouve manifestement la comparaison entre noble manuscrit et vulgaire jambon peu ragoûtante.

Pourtant, du gras, elle en trouve un paquet dans nos dictées ! Et je ne crois pas qu'elle apprécierait qu'on lui pique son stylo rouge sous prétexte qu'on est maîtres de notre art.

Décidément, ce personnage ne colle vraiment pas à ce qu'on sait du véritable Anderson. On ne peut pas dire qu'il soit spécialement timide ou réservé sur la qualité de son travail... Il n'a pas non plus une résistance à toute épreuve ; il semble déjà fatigué de répondre aux questions.

– On se met au boulot ? propose-t-il. Je vous laisse commencer, je dois m'absenter une minute.

Anderson sort. Le raclement des tables qu'on déplace provoque un bref raffut. Évidemment, le groupe qu'on forme est constitué de Zinédine, Marion et moi.

– Vous avez un point de départ ? demande Marion.

Façon d'avouer qu'elle n'en a pas. Spontanément, je me tourne vers mon copain. D'un mouvement du menton, je lui transmets la question de Marion. Il l'attrape au vol.

– Je crois que j'en tiens un, nous annonce-t-il.

Un quart d'heure plus tard, nous avons l'ébauche d'une histoire du tonnerre. Elle met en scène un écrivain qui n'en est pas un... En levant les yeux de ma feuille, j'aperçois Morgane qui consulte l'heure derrière son bureau en montrant des signes d'impatience, ou d'inquiétude.

À propos, c'est vrai, où est passé Anderson ? Il n'est pas encore réapparu. J'en glisse un mot à mes voisins.

– Je croyais qu'il n'en avait que pour une minute, dit Zinédine.

– Ne bougez pas ! je déclare d'un ton ferme.

Je me lève, me dirige vers Morgane et lui fais comprendre à grand renfort de grimaces expressives que j'aimerais sortir, que non ça ne peut pas attendre... Peu après, je me retrouve dans le couloir.

Pas d'Anderson dans les parages. J'explore en vitesse les deux étages de l'école. Personne. Je dévale les escaliers et file droit vers la cour. Les toilettes sont situées dans un angle, près d'une double grille qui donne sur la rue Julien-Lacroix. C'est par cet accès que les camionnettes de la ville de Paris livrent les repas de la cantine.

Thibault Anderson est là.

Planté devant la grille qu'il semble étudier, il s'accroupit soudain et colle son œil à la serrure. J'observe son manège. A-t-il senti ma présence ? Il se retourne brusquement et me découvre. J'ai le bon réflexe, je me remets à marcher droit vers les toilettes, en réprimant l'envie de siffloter ; n'en rajoutons pas...

– Où est passée cette satanée pièce ?

Il ne s'adresse pas directement à moi, mais il a parlé suffisamment fort pour que je l'entende.

Toujours accroupi, il furète encore un instant, se redresse et me regarde en haussant les épaules, un quart de sourire au coin de la bouche.

– Ma maladresse fera un heureux dans le quartier, lâche-t-il. Une pièce de deux euros... Elle est tombée de ma poche pendant que je... Mais, trêve de bavardage...

Il désigne les escaliers qui mènent à notre étage.

– ... J'y retourne.

Une minute plus tard, je pousse à mon tour la porte de la classe. Anderson a repris son poste, sous le regard circonspect de Morgane. Il marque une pause à mon arrivée, le temps que je m'installe.

– Bien, lance-t-il d'une voix forte. Vous êtes trop nombreux, et il nous reste trop peu de temps pour procéder à la lecture de vos essais. Le mieux, c'est que je ramasse tout ça et que je l'étudie tranquillement.

Toute la classe proteste. Ce n'est pas ce qui était prévu ! Anderson reste stoïque face à la révolte qui gronde et cherche du regard un soutien auprès de Morgane. Difficile pour elle de le désavouer.

– Comme vous voulez, dit la maîtresse en se levant, je vais passer dans les rangs.

En attendant, je pêche la feuille que Zinédine a posée devant lui. Son écriture a mis ses plus beaux habits, il s'est surpassé.

« C'est l'histoire d'un petit garçon qui se fait voler son goûter dans la cour. Il soupçonne ses deux meilleurs amis et va mener l'enquête dans l'école. Chacun de ses deux amis accuse l'autre du vol. Il va devoir trouver un témoin. »

Je regarde Zinédine.

– C'est quoi ce machin? Rien à voir avec l'histoire dont on a parlé tout à l'heure!

– Je sais, répond-il à voix basse, mais on a pensé avec Marion que ce n'était pas forcément une bonne idée de la montrer à Anderson.

Évidemment, il a raison. Et il a aussitôt droit à une bourrade admirative, lui qui a su bricoler en quatrième vitesse une histoire de remplacement.

– ... Alors elle a écrit ça, ajoute-t-il. Impeccable, non?

Mon admiration change de cible. J'aurais été bien incapable, si vite, d'inventer un truc pareil! Je suis carrément tombé dans l'équipe de choc...

Nos feuilles en main, Anderson se réfugie dans le fond de la classe, près de la bibliothèque, et commence à lire.

Morgane, qui ne s'attendait pas à nous récupérer si tôt, improvise un exercice de symétrie en lui jetant de longs et fréquents regards.

Quand la sonnerie retentit, sa réaction est immédiate. Il rassemble nerveusement nos travaux, se dresse comme si quelqu'un avait branché un courant électrique sous ses fesses et se précipite vers la sortie en glissant à la maîtresse :

– Je vais potasser tout ça pour la prochaine séance, il y a des choses excellentes là-dedans, vous avez des champions, mademoiselle, bravo ! Rendez-vous dans une semaine, les enfants !

Une tornade. Un courant d'air.

Morgane assiste à sa fuite la bouche ouverte. Les manières de l'écrivain laissent à désirer.

– Alors, tu l'as trouvé ? Qu'est-ce qu'il fabriquait ?

Zinédine s'impatiente, il me parle à l'oreille. À son regard, je devine que Marion aussi a hâte d'écouter le rapport du légendaire Lucas 007.

– Je vous raconterai dehors, on sera plus tranquilles.

Laisser mijoter leur curiosité à feu doux, la recette du suspense…

Les cartables nous sautent sur les épaules et nous sortons. Dans les couloirs, la cohue habituelle nous permet de mieux comprendre le destin tragique des œufs avant l'omelette.

En approchant de la loge de la gardienne, Mme Métivier, je flanque un coup de coude dans les côtes de Zinédine.

– Regarde qui est là... Il avait pourtant l'air pressé de partir !

Réfugié dans la loge, notre écrivain se trouve en grande discussion avec la gardienne. Mme Métivier ne s'ennuie pas, je ne sais pas ce qu'il lui raconte mais elle rigole ferme. Pourtant, dans la classe, il n'avait pas le profil du type qui a fait l'école du cirque. Il a des talents cachés.

Zinédine me pousse presque jusqu'au banc où nous aimons nous asseoir, juste en face de l'école. Lui et Marion veulent savoir. Alors je leur raconte l'attitude étrange d'Anderson près de la grille de la cour, son histoire abracadabrante de pièce de deux euros.

– Eh ben dis donc ! souffle Marion qui résume parfaitement l'impression générale.

– Je n'aurais pas dit mieux, ajoute Zinédine en regardant sa montre. Cette histoire est passionnante, mais elle attendra un peu. J'ai promis à ma mère de faire des courses, on a des invités ce soir. À jeudi ?

Suivi de très près par son cartable, il nous laisse seuls. Cela ne va pas durer, j'aperçois déjà M. Claudel qui remonte la rue Julien-Lacroix dans notre direction.

Il faut que je me lance.

– Marion ?

– Oui.

– Tu as quelque chose de prévu demain après-midi ?

Sa tête se penche sur le côté et elle plante ses yeux dans les miens comme si c'étaient des clous.

– Rien de spécial. Pourquoi?

– J'ai pensé qu'on pourrait réfléchir tranquillement à toute cette histoire en se baladant...

Je retiens mon souffle. J'espère qu'elle ne va pas hésiter trop longtemps, je ne resterai pas des heures en apnée.

– D'accord. On se retrouve où?

– Devant l'entrée du jardin, vers quatorze heures?

– D'accord. Alors à demain!

Je la regarde partir. Elle a dit deux fois d'accord. Ce n'était donc pas plus difficile que ça? À moins que je sois un super-héros, doué d'un charme irrésistible. Je n'en reviens pas.

– Qu'est-ce qui t'arrive, Lucas? Tu as la tête de quelqu'un qui a eu un dix en contrôle de maths alors qu'il a rendu copie blanche!

Je tourne la tête. M. Claudel m'observe, l'air amusé.

– Y a un peu de ça, je réponds.

– Et ton écrivain, où peut-on le trouver?

Je l'avais oublié, celui-là. Tout comme l'envie de M. Claudel de le rencontrer. Je tourne les talons et m'exclame :

– Vous avez de la chance, le voilà qui arrive.

En effet, Thibault Anderson a mis fin à sa conversation avec Mme Métivier et il sort de l'école comme une fusée. Il a l'air aussi pressé qu'une orange dans une usine Tropicana. Ce que traduit aussi la direction qu'il prend : à savoir celle diamétralement opposée à la nôtre, comme s'il avait peur d'être retardé.

Même s'il a vite compris qu'il convenait de reporter ses questions à une date ultérieure, M. Claudel a eu le temps de dévisager notre écrivain. Son regard exprime une surprise fugace.

– Qu'y a-t-il ? je lui demande.

Il secoue la tête.

– Rien. C'est complètement idiot. Un instant, j'ai cru que… Mais j'ai vu défiler tellement de visages dans ma vie… Je comprends mieux ce que tu voulais dire en déclarant que ton écrivain ne ressemblait à rien de spécial. On y va ?

J'acquiesce. Le Relais nous attend de soutien ferme.

N'empêche, je jurerais que M. Claudel me cache quelque chose. Et il peut compter sur moi pour lui rappeler sa réaction un de ces quatre matins.

Le moment venu.

PEUR BLEUE

– Ici, au moins, on ne sera pas dérangés. Les voisins semblent plutôt calmes...

Je souris. Marion a entièrement raison. Dans le quartier, quand on se promène à pied, le choix de la destination est restreint. À force, on le connaît par cœur, le parc de Belleville. Et puis je n'avais pas envie de tomber sur un copain de la classe... Alors je l'ai emmenée au cimetière du Père-Lachaise.

J'adore cet endroit. C'est recueilli sans être triste, contrairement à ce qu'on pourrait imaginer. Et puis les morts se sont faits beaux. Ils reposent sous des statues magnifiques, avec des bouquets de fleurs en guise d'oreillers.

Beaucoup sont célèbres. Je ne les connais pas, mais je peux mesurer leur notoriété à la fréquence des groupes qui leur rendent visite. Écrivains, musiciens, scientifiques, vedettes, ils se sont donné rendez-vous.

Un peu comme Marion et moi. En ce qui nous concerne pour moins longtemps, malheureusement.

Notre sujet de conversation est tout trouvé.

– Si vraiment ce type n'est pas Anderson…

– Ce n'est pas lui! me coupe-t-elle, sûre de son fait.

– Admettons. Donc il a pris sa place. Deux questions se posent : la première, pourquoi fait-il ça? La seconde, qu'est devenu le véritable Thibault Anderson?

Elle stoppe brusquement et me dévisage. Ses paupières révèlent deux billes bleues et une angoisse brutale assombrit ses traits.

– Je n'y avais pas pensé! Tu as raison. Peut-être qu'il l'a…

– Hé! Ne panique pas! je m'écrie pour la rassurer. Parce qu'on est au Père-Lachaise, tu te mets à envisager le pire?

– N'empêche, bredouille-t-elle pas convaincue, on devrait peut-être prévenir Morgane, ou nos parents, ou la police…

– Et leur dire quoi? Nous n'avons aucune preuve. Si on se trompe, Morgane ne nous le pardonnera jamais.

– Tu as raison.

J'aime bien quand elle avoue que j'ai raison.

J'ai envie de lui prendre la main.

– On va où maintenant ? J'ai promis à ma mère de ne pas rentrer tard.

– Je te paie un Coca au Mac Do ?

Pour moi, c'est la consécration. Elle accepte. Le rêve. Une bonne partie de mon argent de poche va y passer, mais ça en vaut la peine.

On sort du cimetière par l'entrée principale, on remonte le boulevard de Ménilmontant, puis celui de Belleville, en discutant toujours de notre écrivain fantôme. On a passé le café du Soleil, j'aperçois déjà l'enseigne du Mac Do quand une apparition me retourne les sangs. Je pousse Marion à l'abri d'une porte cochère.

– Qu'est-ce qui se passe ? me demande-t-elle.

– Regarde qui voilà !

En se penchant devant moi, elle me fourre ses cheveux dans le nez. Son shampoing sent la pêche.

– Alors ?

– La silhouette, là, qui s'éloigne ! C'est Anderson !

– Tu es sûr ?

Un peu que je suis sûr. Il porte son costume beige, mais il a laissé sa cravate au vestiaire.

– Exact... admet-elle après réflexion.

Exact, ça veut dire tu as raison. Décidément, c'est ma journée ! Elle se tourne vers moi.

– Il habiterait dans le quartier ?

– Suis-moi.

Je l'entraîne sur le boulevard et bifurque à droite, rue Bisson. Puis je désigne le numéro 2, simple porte en bois maculée à la base de traces de pipi de chien.

– Notre ami sortait de là.

Petit silence. Marion pince ses lèvres, réfléchit encore un peu et dit :

– On entre ?

Tout seul, j'aurais probablement hésité, mais là, impossible de me défiler. Je m'avance, pousse la porte et nous pénétrons dans un étroit couloir qui mène droit à un escalier en colimaçon. Sur notre gauche, une batterie de boîtes aux lettres est fixée sur le mur. Il n'y en a pas deux pareilles. Des noms sont affichés sur des étiquettes bricolées ou carrément écrits au stylo sur des morceaux de sparadrap collés. Je n'ai pas le temps de les déchiffrer. Marion a lâché la porte et tout s'obscurcit.

J'étudie les lieux à la recherche d'une minuterie. Pas facile, mes yeux n'ont pas eu le temps de s'adapter, je tâte les murs en aveugle.

Tout à coup, le couloir s'éclaire.

– Qu'est-ce que vous fabriquez ici ? lance une voix puissante qui roule dans le couloir comme un grondement d'orage.

Mon cœur explose, puis fait du yoyo dans ma poitrine. Je sens Marion se coller à moi ; deux lapins pris dans le faisceau d'un phare. Je jette un regard vers l'escalier. Sur les dernières marches, je distingue vaguement une silhouette massive.

Si une seule fois dans ma vie je dois avoir une bonne idée, c'est maintenant.

SUR LA PISTE D'ANDERSON

– La peur de ma vie, je te jure !

Dans le cadre rassurant de la cour de l'école, avec Marion à mes côtés, j'achève le récit de nos aventures de la veille. Zinédine n'en perd pas une miette, un peu jaloux d'avoir été mis à l'écart.

– C'était qui ce bonhomme finalement ? s'inquiète-t-il.

– Un locataire du premier. Quelqu'un était venu une semaine avant bourrer les boîtes aux lettres de papier-toilette, il pensait surprendre les auteurs de cette fine plaisanterie.

– Vous avez fait quoi ?

– Lucas lui a expliqué qu'on avait cru voir un écrivain avec qui on travaille en classe sortir de l'immeuble, me relaie Marion. Il ne voyait pas de qui il s'agissait, mais il nous a avoué savoir peu de choses des habitants de l'immeuble. Il est vigile et travaille la nuit dans un parking des beaux quartiers. Les autres locataires, il ne fait que les croiser, et encore c'est rare!

– On a quand même relevé les noms sur les boîtes, ça peut servir.

– Évidemment, vous n'avez trouvé aucun Anderson? demande Zinédine.

Je secoue la tête :

– Non. Voilà la liste.

Je lui tends un morceau de feuille ayant séjourné plusieurs heures dans la poche arrière de mon pantalon. Il l'étudie en silence.

– Je ne vois pas bien en quoi elle peut nous être utile, avoue-t-il en soupirant.

– Moi si.

Je me sens soudain l'objet de toute leur attention. Une inspiration géniale. Enfin, géniale, si l'avenir me donne raison...

– M. Claudel a vu Anderson à la sortie de l'école mardi soir. Je suis persuadé que son visage a évoqué chez lui un souvenir. Il a eu un instant de doute mais quand je l'ai interrogé, il s'est refermé comme une huître. L'huître a pourtant lâché une phrase importante. Je le cite : « Des visages, j'en ai tellement vu dans ma vie... » Il faisait forcément référence à son passé d'instituteur !

– Ce qui signifie ? dit Zinédine.

– Que ce visage, s'il l'a déjà vu, ce peut être dans sa classe, ou dans l'école, il y a longtemps, de nombreuses années sans doute, pour que sa mémoire, d'habitude si fidèle, le rende hésitant.

– Un peu tirée par les cheveux, ton histoire, me contre Zinédine qui n'aime pas quand ce sont les autres qui ont des idées.

– Vrai. Mais qu'est-ce qu'on risque à vérifier ? Notre Anderson doit avoir environ trente-cinq ou quarante ans, son passage à l'école primaire remonte donc à environ trente ans. M. Claudel était déjà nommé dans l'école à cette époque. Près du bureau de la directrice sont entreposés de vieux registres...

– Exact ! enchaîne Zinédine vite gagné à ma cause, on a travaillé dessus l'année dernière. Ils sont rangés dans une armoire près de la photocopieuse. Par années...

– Alors ?

Marion, qui ne veut pas être en reste, se charge de conclure :

– Alors on va les éplucher, ces registres !

On est assis dans le passage, tels des comploteurs. Nous sommes du premier service de cantine, c'est l'heure creuse avant la reprise.

La directrice déjeune chez elle, dans l'appartement situé au dernier étage de l'école, et les enseignants qui ne surveillent pas la cour finissent leurs plateaux-repas dans la salle des maîtres au rez-de-chaussée. Normalement, nous sommes tranquilles pour une bonne demi-heure.

Au-dessus de nos têtes, la photocopieuse ronronne. L'armoire des archives est ouverte devant nous.

Sur nos genoux pèsent les énormes registres cartonnés qui recensent les élèves inscrits dans l'école depuis les temps préhistoriques. Nous avons délaissé ceux dont les pages sont en pierres plates, avec des mammouths dessinés dessus, pour mieux nous concentrer sur les années soixante-dix. Des centaines de noms défilent sous nos yeux, tracés dans une encre qui a pâli. Parfois, quand l'un d'eux semble faire tilt, nous le comparons à ceux de la liste de la rue Bisson.

Le temps passe trop vite; les registres pèsent de plus en plus lourd sur nos genoux et le découragement nous guette.

Mais il ne faut jamais baisser les bras, comme dit la Vénus de Milo.

– Eh!

Marion nous appelle, sa voix a légèrement tremblé.

– ... Je crois que je le tiens. File-moi la liste, Lucas !

J'obéis volontiers et me rapproche de notre archiviste préférée. Zinédine a laissé tomber son registre, nous enveloppant dans un nuage de poussière.

L'index de Marion s'est posé sur une ligne en plein milieu d'une page où les trente-quatre enfants de la classe de CM2 de M. Claudel s'offrent à la postérité. Année scolaire 1971-1972.

– Là ! souffle-t-elle.

Zinédine a une meilleure vue que moi, il déchiffre :

– Martial Boucheron. Et il y a bien un Boucheron sur la liste que vous avez rapportée. J'ai l'impression que tu as tiré le gros lot !

Le visage de Marion rosit sous le compliment. Ce qui lui va bien. On se dépêche de ranger les registres et on quitte les lieux de nos exploits. Ni vus ni connus, plus discrets qu'un trio de Caspers. Quelques minutes plus tard, nous sommes dans la cour, assis sur les marches qui mènent à la BCD.

– Et maintenant ?

Zinédine a le don de poser de bonnes questions. On échange des regards hésitants. De connaître l'identité de l'usurpateur, ça nous mène où ?

– On pourrait en toucher un mot à Morgane, suggère Marion, les preuves, on les a !

– Ouais, glisse Zinédine sans enthousiasme.

Je devine ce qu'il pense, et je pense comme lui. On a mis le doigt sur une affaire étrange et, en livrant nos informations, nous nous privons du plaisir de découvrir où elle peut nous conduire. Il faut admettre que cette histoire est bien excitante... Je prends la parole.

– C'est-à-dire que rien ne presse. Avec les éléments dont nous disposons, nous pouvons surveiller Boucheron de près, nous révélerons ce que nous savons si nous sentons que les choses commencent à mal tourner. Qu'est-ce que vous en dites ?

– Oui, me soutient Zinédine, on s'offre un rab de frissons !

– Qu'est-ce que vous faites d'Anderson, du vrai je veux dire ? proteste mollement Marion qui a manifestement envie qu'on lui offre l'occasion de se ranger à nos arguments.

– Ne nous affolons pas ! je réponds. Que Boucheron ait pris la place d'un écrivain ne signifie pas qu'il l'ait supprimé ! Il est probable qu'Anderson lui a juste fourni l'occasion de pénétrer dans l'école. Il nous reste à découvrir ce qu'il y cherche.

– Peut-être qu'il essaie de se venger, propose Zinédine.

Marion hausse les épaules.

– De quoi ? D'une mauvaise note en dictée en 1972 ? Il aurait la rancune franchement tenace ! De plus, M. Claudel est en retraite. Ce n'est donc pas à l'école qu'on peut l'atteindre si c'est le but recherché. Et celle qui s'y trouve aujourd'hui, Morgane, n'avait jamais vu Anderson avant sa première visite en classe, c'est évident. Non, il y a autre chose.

– Tu as raison, dit Zinédine. Attendons le prochain atelier d'écriture et ne le quittons pas des yeux. Ce qu'il cherche est dans la classe, ou dans l'école. Si nous découvrons ce que c'est…

Zinédine a laissé sa phrase en suspens. Cela vaut mieux. Le flou artistique, ça s'appelle. Chacun complète comme il veut, et tout le monde est content.

Vivement mardi prochain !

MISSION
PRESQUE IMPOSSIBLE

– Alors voilà...

L'écrivain brandit sous notre nez le paquet de feuilles et l'agite comme un éventail. La classe attend son verdict.

Nous sommes trois à ne pas frémir d'impatience, évidemment.

– ... J'ai réfléchi à ce que vous avez écrit. D'abord, je tiens à vous dire que c'est très bien. Vous montrez des qualités d'imagination qui vont finir par me rendre jaloux !

Des sourires de satisfaction éclairent des visages autour de moi, ainsi que celui de Morgane qui reçoit le compliment par ricochet.

Anderson poursuit :

– Je vous avais promis de vous conseiller, d'orienter votre travail, mais à ce stade de votre exploration du monde de la création, j'ai peur que mon intervention ne tue votre spontanéité. Je vous accorde donc une séance supplémentaire pour vous exprimer sans entrave…

Le sourire de Morgane perd de sa vigueur. La participation d'Anderson à l'atelier mis en place se résume à de la présence. Elle n'envisageait sans doute pas leur collaboration sous cet angle.

Anderson, sans la consulter, distribue les feuilles aux groupes constitués comme s'il avait hâte de s'en débarrasser.

– Donc vous ne leur donnez aucune piste ? s'inquiète Morgane qui avale décidément la surprise de travers.

L'autre daigne lui répondre, l'air sincèrement inspiré.

– Vous savez, mademoiselle, pour un écrivain, le livre est une montagne qu'il faut gravir en solitaire. Je m'en voudrais de baliser leur talent naturel comme un vulgaire sentier de randonnée. Qu'ils se confrontent aux difficultés, ensuite nous en débattrons.

– Comme vous voudrez… capitule la maîtresse.

Elle doit sentir ce que le discours de son invité a de fumeux, mais elle est coincée. Un écrivain, ça se respecte…

Zinédine, Marion et moi, tout en nous passionnant pour notre histoire de vol de goûter dans la cour de récréation, nous ne quittons pas des yeux l'écrivain qui se respecte.

Comme à son habitude, il parcourt les rangées en jetant des coups d'œil furtifs sur les feuilles que noircissent péniblement les différents groupes. Il s'en tient résolument à son engagement de départ : pas un seul minuscule commentaire ! Sa promenade ne dure pas. Il retrouve bientôt son poste d'observation favori au fond de la classe, près de la bibliothèque.

Nous échangeons un regard entendu avec Zinédine. Pas de doute, c'est dans ce coin-là que ça se passe.

Je griffonne une phrase sur un morceau de papier que je lui glisse discrètement :

« Il cherche un livre ? »

L'idée m'est venue brusquement. Je sais que des libraires sont spécialisés dans les ouvrages anciens. Même que certains d'entre eux, quand ils sont très vieux, ou n'existent plus qu'en peu d'exemplaires, valent une petite fortune. Et si Boucheron était libraire ? Il visite les écoles, repère les livres à voler, ceux dont tout le monde ignore la valeur… Je déchire un second morceau de papier et j'écris :

« À ton avis, y a-t-il des bouquins rares dans la bibliothèque ? »

Zinédine est mieux placé que moi pour répondre. Les livres, il les a lus.

Je réceptionne sa réponse :

« Je ne crois pas. Mais je vérifierai. »

J'observe encore notre homme. Il est face aux rayonnages, son doigt glisse sur le bord d'une tablette. C'est presque devenu un tic !

Soudain, il abandonne son poste et file droit vers la porte d'entrée en s'adressant à la maîtresse.

– Vous m'excusez une seconde, un coup de fil urgent à passer. J'avais complètement oublié. Où puis-je téléphoner ? Mon portable est resté en charge chez moi.

Visiblement, les manières de l'écrivain commencent à taper sur les nerfs de Morgane... à coups de marteau.

– Dans la loge, dit-elle sèchement.

J'attends une minute après son départ et je lève la main à mon tour. Morgane comprend de quoi il s'agit.

– C'est un numéro que tu as mis au point avec Thibault Anderson ou quoi ? me réprimande-t-elle. Vas-y, mais c'est la dernière fois. À ton âge, on peut prendre ses précautions avant !

Je baisse la tête, penaud, et me précipite au-dehors en marmonnant des excuses.

Aussitôt dans le couloir, je fonce. D'abord vérifier si Boucheron s'est bien rendu à la loge de Mme Métivier.

Je dévale les escaliers et débouche dans le hall. Un coup d'œil rapide au coin du mur ; il entre juste. J'entends la voix de la gardienne qui l'accueille dans son domaine.

Je m'approche et plaque presque mon oreille au battant.

James Bond à côté de moi, c'est de la gnognote.

J'entends Boucheron qui s'adresse à Mme Métivier.

– Je suis confus de vous demander cela, mais j'ai un coup de fil personnel à passer et il ne peut attendre. Si vous pouviez avoir la gentillesse de...

– Mais bien entendu, cher monsieur, répond la gardienne, je vais même vous abandonner la place, vous serez plus tranquille. Je dois transmettre un message à Nicole au deuxième étage.

– Vous êtes bien aimable.

Je me précipite dans le local des dames de service avant que Mme Métivier ne sorte de sa loge.

Caché sous la table, je la vois se diriger vers les escaliers. Hop, je retourne à mon poste d'observation.

Si quelqu'un me surprend dans cette position et me réclame une explication, je suis mal. Je passerai de James Bond à Mission impossible...

Je m'en doutais; il ne passe aucun coup de téléphone, ce n'était qu'un prétexte pour éloigner la gardienne. Alors il fabrique quoi exactement ici, Boucheron?

J'entends un cliquetis caractéristique...

J'ai compris.

Mission impossible accomplie!

UN ADJOINT
INATTENDU

– Nous sommes d'accord, on abandonne la piste des livres rares ?

Zinédine et Marion hochent la tête de concert. On dirait deux petits chiens en plastique sur la plage arrière d'une voiture.

– Si Boucheron vole des clés chez la gardienne et que tu l'as vu observer de près la serrure de la grille dans la cour, le rapport est vite établi ! Et s'il a besoin d'ouvrir cette porte, ce n'est pas pour voler un livre, ni même plusieurs.

Zinédine aime bien résumer les situations. Il se prend pour Navarro.

Nous sommes de nouveau à notre bureau de détectives, le bassin du jardin de Belleville.

Le mercredi, les parents nous laissent carte blanche pourvu que nos devoirs soient faits. Pour l'instant, ils ne sont pas faits, mais ils n'en savent rien.

À son tour, Marion intervient :

– Vous avez remarqué, hier ? Il est resté longtemps à discuter avec la directrice dans le hall, au moins un quart d'heure. Mais quand Morgane est passée, il lui a à peine dit au revoir. Il se concentre sur deux personnes à l'école : la gardienne, on sait pourquoi maintenant, et la directrice. Vous avez une explication ? Parce que moi je sèche !

Je lève un doigt.

– Peut-être... Qu'ont-elles en commun ? Ce sont les seules personnes qui logent à l'école, les seules qui soient présentes en dehors des heures de classe. Si Boucheron a l'intention de sortir quelque chose des locaux, il ne peut agir quand les élèves sont à l'école ! Mais le soir et le week-end, il reste encore deux témoins gênants sur place. Tandis qu'en leur absence...

– Bien joué ! me félicite Zinédine, séduit par ma perspicacité, mon intelligence, ma finesse, et j'en passe. En discutant, Boucheron se renseigne. Le plus souvent possible, je sais que la directrice apprécie de rejoindre sa maison de campagne. Et Mme Métivier est bien obligée de faire ses courses ! Pour peu que leurs absences coïncident, c'est tout bon pour Boucheron...

Nous sommes quand même champions ! Rien qu'à la force de nos cerveaux, nous avons réussi à percer un des plus extraordinaires mystères de ce siècle !

– On ignore toujours ce qu'il veut voler, glisse Marion avec un regard en coin.

Elle a raison. Il y a encore du boulot pour nos cerveaux.

– Vous ne croyez pas qu'on devrait arrêter de s'amuser, cette fois ? reprend Marion. Ce Boucheron est un voleur, il faut le dénoncer !

Zinédine et moi, on tique. C'est le mot « dénoncer » qui nous dérange. Mais il y a autre chose, j'y ai pensé toute la nuit. Après m'être raclé la gorge, je me lance.

– Écoutez-moi… Je crois qu'il est trop tard.

– Comment ça, trop tard ? s'insurge Marion qui n'est pas très rassurée par le tour que prennent les événements.

– Oui… Si on le dénonce maintenant, comment va-t-on expliquer qu'on ne l'a pas fait avant ? Ils vont nous demander nos preuves, on ne peut pas accuser quelqu'un sans preuves ! Et il va falloir qu'on déballe nos conclusions. On va nous accuser d'avoir trop attendu et d'avoir joué avec le feu. Morgane ne va pas apprécier.

– Je vois les choses comme lui, me soutient Zinédine.

– Que proposez-vous ?

Je regarde Marion, elle semble un peu éner-
vée.

– Tant qu'on n'a pas découvert ce qui l'intéresse, on ne bouge pas. Ensuite, on agit !

Brillamment exposé, je trouve.

– Et ça pourrait être quoi, selon vous ?

Aucun d'entre nous n'a posé cette question.
Elle s'est plantée dans notre dos comme une
flèche. On se retourne, un brin paniqués.

– Ouf ! je soupire longuement, c'est vous !

Avec tous ces cris d'enfants dans le jardin, on
ne l'a pas entendu approcher. M. Claudel, une
grande enveloppe à la main, s'amuse au spectacle de notre trouille. Sa tête ronde est barrée
d'un franc sourire taquin.

– J'étais certain de te trouver ici, Lucas ! dit-
il. Et tu es en bonne compagnie ! Comment
allez-vous, les enfants ?

– Bien, merci, répond Zinédine.

– Sans le vouloir, j'ai surpris votre conversation. Vous avez des ennuis ?

– Non non ! je lance avec un empressement
qui va lui paraître suspect.

– Si vos soucis ont un lien avec l'école, vous
pouvez vous en ouvrir à moi, vous savez !

On peut avoir confiance. L'année dernière, à chaque fois qu'on a eu besoin de lui,
M. Claudel a répondu présent. Mais là, c'est un
peu délicat. Devant notre silence, il n'insiste
pas.

Il s'assoit à côté de moi et tapote de l'index l'enveloppe en papier kraft qu'il a posée sur ses genoux.

– Je voulais te montrer ceci, me dit-il. C'est en rapport avec ton écrivain, Thibault Anderson…

Je me penche. Deux autres têtes en font autant. Le sourire ne quitte pas le visage de notre ancien maître.

– Je l'ai retrouvée dans mes archives, poursuit-il en extrayant de l'enveloppe une grande photo de classe. Quand tu m'as présenté cet homme, son visage m'en a rappelé un autre. Sur le moment, je n'ai pas réussi à rassembler mes souvenirs, mais après quelques recherches…

On étudie la photo de près. Des enfants sont alignés sur trois rangs dans la classe qu'on occupe cette année, je reconnais la bibliothèque dans le fond. Une fille assise sur un banc au premier rang tient une ardoise où l'on peut lire :

– Il est là, dit-il en désignant une silhouette coincée entre un malabar et une fille qui ressemble à Fifi Brindacier, Martial Boucheron !

Un bon élève, discret si ma mémoire est bonne.

– Elle est incroyablement bonne, s'extasie Marion, épatée. Cette photo remonte à plus de trente ans !

– Les visages s'impriment en moi, c'est comme ça, explique M. Claudel. En plus, j'ai conservé toutes les photos. De temps en temps, je les regarde…

Il glisse sa relique dans l'enveloppe et attend. Comme nous restons muets, il pose sa main sur mon épaule, me forçant à croiser son regard.

– Alors, reprend-il avec une mine gourmande, si vous m'expliquiez maintenant ce que Martial Boucheron trafique dans votre classe ?

Aïe aïe aïe ! Son regard me passe à travers. M. Claudel n'est pas du genre qu'on peut rouler dans la farine.

On est sacrément coincés !

ENQUÊTE
SUR LE NET

Nous n'étions jamais venus chez lui. L'appartement n'est pas comme je l'imaginais.

Dans mon idée, comme M. Claudel avait l'habitude d'entasser un tas d'objets dans sa classe, il devait crouler chez lui aussi sous les livres, les collections de minéraux, les herbiers, les planches de papillons et autres posters de champignons de forêt.

Pas du tout.

Le salon dans lequel il nous invite à entrer est peu meublé et les murs sont vides, à l'exception d'un tableau accroché au-dessus du canapé qui représente des taches de couleurs qui se mélangent.

– Dites donc, je lui lance, c'est drôlement bien rangé par rapport à votre classe !

Il éclate de rire.

– L'endroit est supposé ne pas me rappeler mon lieu de travail. Rassure-toi, je possède tout de même quelques livres, mais dans une pièce à part.

On suit le guide. En effet, juste à gauche de l'entrée, il s'est installé un bureau où on découvre un ordinateur et des rangées de bouquins. Une petite fenêtre ouvre sur les toits des maisons basses du quartier.

Je contemple la vue pendant que Zinédine se précipite vers les alignements de livres. Chacun son truc.

L'autre jour, on a tout expliqué à M. Claudel. Parfois, il faisait « Hum, hum » pour ponctuer notre récit, mais il ne nous a pas interrompus.

À la fin, nous avons conclu un marché : sa promesse de nous aider contre notre promesse de le tenir au courant de chacun de nos projets.

La journée de classe vient de s'achever. Nous sommes chez lui pour accomplir une mission. Nous, moins Marion. Elle doit nous rejoindre un peu plus tard, sa mère est passée la chercher à la sortie pour l'emmener soigner une carie. Chez un praticien qui a une dent contre elle...

M. Claudel s'est approché de son ordinateur et l'allume. Il me fait signe de le rejoindre. Zinédine se désintéresse de nous, il a sorti de gros livres d'une étagère, cet incorrigible curieux, et les feuillette avec les yeux comme des soucoupes. On va commencer sans lui.

– Partons à la recherche de ce mystérieux Anderson ! propose M. Claudel en s'installant devant son clavier.

Cette décision, nous l'avons prise ensemble près du bassin. En retrouvant l'écrivain, nous comprendrons les liens qu'il entretient avec notre usurpateur. Est-il complice ou victime ? Et s'il est victime, est-il en danger ?

– Internet devrait nous aider, me confie M. Claudel.

– Et comment comptez-vous vous y prendre ?

– Simple. Qu'aucun renseignement trop précis sur un écrivain ne figure dans ses livres est logique, il tient à rester discret, mais il existe des guides destinés aux professionnels, les enseignants, les bibliothécaires, où les auteurs se révèlent davantage. Sur le site du ministère de la Culture, je trouverai des liens qui nous serviront, j'en suis sûr.

Et il se lance dans une symphonie pour clavier endiablée. Ses doigts pianotent à une vitesse supersonique. L'année dernière, il commençait juste à manier l'outil. Je devine à quoi il a consacré ses premiers mois de retraite…

J'observe en connaisseur. L'école a installé son propre site sur Internet, on y accède par celui de la mairie du XXe, et notre classe l'alimente régulièrement en textes.

Nous y avons déposé par exemple nos critiques de livres dans le cadre du prix Encre Noire. Si Anderson était tombé dessus, il aurait vu tout le bien qu'on a pensé de *L'assassin fait le mort*.

Des pages colorées se succèdent sur l'écran. J'ai du mal à suivre.

Zinédine bouquine. J'observe à la dérobée la couverture du pavé qu'il vient de choisir; il attaque un ouvrage d'architecture. N'importe quoi!

Je me concentre à nouveau sur l'écran.

– Nous y sommes! déclare M. Claudel. Voilà un *Guide des auteurs et illustrateurs pour la jeunesse*. Anderson y est certainement référencé. Recherche alphabétique, la lettre A, un petit clic et…

– Hourra! je crie.

Sur l'écran apparaissent une fiche et un visage. Toujours pas de guerrier sioux à l'horizon, mais une tête en ballon de hand avec des lunettes rondes en métal. Anderson doit avoir la quarantaine bien tassée. On ne voit que son buste, mais je jurerais qu'il est rondouillard.

– T'as vu, Zinédine ?

Mon copain se fiche d'Anderson comme de sa première couche-culotte. Il a les yeux dans le vague, on le dirait hypnotisé par un serpent invisible.

– Monsieur Claudel, demande-t-il sans me répondre, vous pourriez me montrer encore la photo de classe où apparaît Martial Boucheron ?

– Bien sûr, répond l'intéressé, elle est posée dans l'entrée.

– Eh ! Zinédine !

J'ai fait deux pas vers lui. Toujours sans un regard pour moi, il sort de la pièce.

Mon copain est un mort vivant et je l'ignorais.

– Lucas ! Viens voir !

Je réglerai le problème Zinédine plus tard, M. Claudel a découvert quelque chose d'intéressant. Quand je m'approche, je le trouve avec un doigt posé sur l'écran.

– Là !

Je lis.

– « Thibault Anderson, de son vrai nom Jean-Paul Galichet, est né à Paris le 17 août 1956. Il vit à Paris, dans le XXe arrondissement. Auteur de plus de trente ouvrages, romans, essais... »

Inutile d'aller jusqu'au bout. Je me redresse. On a son vrai nom !

Pour le retrouver, ça va être du gâteau, surtout qu'il habite dans le coin !

– Vous croyez que ces renseignements sont justes ? je demande à M. Claudel avant de sauter de joie.

– Oui. Ce guide est récent, et remis à jour régulièrement.

Hop ! Un saut de cabri ! J'ai envie de partager ce triomphe avec Zinédine. Un carillon me stoppe dans mon élan.

– La porte d'entrée, explique M. Claudel. Ce doit être Marion. Tu peux lui ouvrir ?

Je file. En passant, j'aperçois Zinédine affalé dans le canapé, son gros livre ouvert sur les genoux. Il examine de près la photo de classe comme un spécialiste des insectes une collection de crottes de sauterelles.

Quand j'ouvre la porte, Marion me bouscule et pénètre en trombe dans l'entrée.

– J'ai une super nouvelle à vous annoncer ! glapit-elle. Je sais quel jour Boucheron va commettre son vol !

Elle cherche à nous épater ? Alors, qu'elle prenne cette nouvelle dans les dents !

– Et nous, on a trouvé le véritable nom de Thibault Anderson, et dans une minute on aura son adresse !

Tout en se félicitant mutuellement, on gagne le salon.

M. Claudel nous y rejoint au moment où Zinédine s'arrache d'un bond du canapé, une drôle d'expression plaquée sur la figure. Notre hôte ne cache pas sa satisfaction :

– Tu vas nous raconter ça, Marion ! Il ne nous reste plus qu'à trouver ce qu'il va voler et notre succès sera complet !

Zinédine bombe le torse et lâche :

– Eh bien notre succès est complet…

Puis, satisfait de nos mines ahuries, il finit sa phrase en plantant ses poings sur ses hanches.

– … Je sais ce qu'il cherche.

RÉVÉLATIONS

– Qui commence?

– Vas-y, Marion, dit Zinédine.

Je soupçonne mon copain de garder le meilleur, c'est-à-dire ses propres conclusions, pour la fin. Si vraiment, rien qu'en feuilletant quelques livres au fond d'un canapé, il a trouvé ce que Boucheron a l'intention de voler à l'école, il mérite le titre de plus grand détective de l'univers. J'attends de voir…

On s'installe dans le salon et on se tourne vers Marion, qui comprend le message.

– Moi, j'ai eu de la chance, attaque-t-elle. Mon dentiste se trouve avenue Simon-Bolivar, près des Buttes-Chaumont… J'en sors, accompagnée de ma mère, on marche un peu, on passe devant une sorte de boutique et là, on manque rentrer dans deux types qui déboulent sur le trottoir sans regarder devant eux. Ils s'excusent à peine. Je les regarde et paf, j'ai le choc de ma vie ! L'un est un moustachu, baraqué comme un déménageur, et l'autre, c'est Martial Boucheron !

– Ben dis donc !

Je lui montre que je participe... Elle poursuit.

– J'ai le réflexe de me demander d'où ils sortent. Sur la vitrine, je lis : *LTV, Loue Tous Véhicules*. C'est là que j'ai eu mon coup de génie...

Elle se fait sa propre pub, nos commentaires sont donc superflus. Elle respire un bon coup et abrège le suspense.

– Ma mère s'attarde devant une solderie de fringues plus haut sur le boulevard, je lui crie de m'attendre, que j'en ai pour une seconde, et je pousse la porte de LTV. « Bonjour monsieur ! je dis au bonhomme derrière son comptoir en soufflant fort comme si je venais de courir un cent mètres, mon père et mon oncle viennent de vous louer une voiture, mais ils ont oublié de vous demander à quel moment on vous rapporte les clés ! Martial Boucheron il s'appelle, mon père ! » Le bonhomme a l'air surpris. « Pourtant, j'ai été clair ! Ils prennent la camionnette – pas la voiture, mademoiselle – samedi à huit heures trente et la rapportent avant dix-neuf heures trente s'ils ne veulent pas que je leur compte deux jours de location. » « Merci monsieur ! J'espère que cette fois ils vont enregistrer… » Et je sors !

Son sourire me transforme en motte de beurre lancée dans une poêle. Elle est si fière de son action. Il y a de quoi. On la félicite.

M. Claudel propose de nous servir des jus de fruits pour fêter ça.

Pendant qu'il disparaît dans la cuisine, Marion demande :

– Et vous, alors ?

Je n'ai pas fait grand-chose, mais je commence à raconter notre promenade sur Internet comme si j'avais piloté l'opération. M. Claudel est absent, il a toujours tort, ce sont les proverbes qui le disent…

Les bras chargés d'un plateau, il revient au moment où Marion répète le véritable nom de l'écrivain.

– Jean-Paul Galichet. Anderson, ça sonne mieux quand même ! Je comprends qu'il ait changé !

M. Claudel remplit les verres. Zinédine prend son temps, attend qu'on le supplie de nous confier sa découverte. J'aimerais le laisser mariner mais c'est plus fort que moi, je brûle de savoir.

– Zinédine ? Tu n'avais pas quelque chose à nous expliquer ?

– Si! triomphe-t-il en claquant la langue et en reposant son nectar d'abricot. Ce qui est fou, c'est que nous nous sommes demandé ce qui intéressait tellement Boucheron alors que nous avions la réponse sous les yeux depuis le début!

Il ne lâchera pas le morceau tout de suite, je le connais, mon copain, il va nous exposer son raisonnement depuis le début, pour nous tenir en haleine. Un vrai pro. Pourvu qu'il ne remonte pas trop loin, au jour de sa naissance par exemple.

– ... Quand Lucas et moi on est arrivés ici, j'ai commencé à prendre des livres au hasard dans votre bureau, monsieur Claudel. J'adore les livres et vous en avez qu'on ne risque pas de trouver à la BCD! Bref, je choisis un ouvrage d'architecture, on y voit des maisons superbes et quelquefois leurs intérieurs; des chaises, des buffets, des tables, des canapés... Je lis les légendes et je vois défiler des noms, les noms de ceux qui ont dessiné et créé ce mobilier, Jean Courvel, Nicolas Parlier et d'autres. Dans une note, je lis que la plupart de ces meubles valent des fortunes, qu'ils sont extrêmement recherchés et que leurs prix crèvent les plafonds pendant les ventes aux enchères. Au détour d'une page, mes yeux tombent sur une bibliothèque...

Justement, ses yeux noirs se posent sur nous pour savourer son effet. On commence à comprendre, mais on lui laisse le plaisir de poursuivre.

– … Elle me rappelait vaguement quelque chose. J'ai repris la photo que vous nous aviez montrée, monsieur Claudel. Cette photo, chaque enfant de la classe l'a-t-il reçue ?

– Oui.

– Donc Martial Boucheron aussi ! Et que voit-on derrière les rangées d'enfants ? La bibliothèque de notre classe ! Elle ressemble étrangement à celle du livre ! Je les ai bien étudiées, je suis certain qu'elles ont été fabriquées par le même type, un certain Théodore Brach. À voir Boucheron rôder dans le fond de la classe, s'attarder près de ce meuble – il l'a même pris en photo au début de sa deuxième visite sous prétexte de nous prendre, nous –, et, en apparence, s'intéresser aux livres, nous avons imaginé qu'il en avait repéré de précieux et qu'il projetait de les voler. Jamais nous n'aurions pensé qu'un meuble puisse valoir une fortune ! Et encore moins qu'il y en ait un de ce genre à l'école ! En plus, ça explique le reste de son comportement : pour sortir le meuble, ce n'est pas de la tarte ! Il faut, pendant l'absence de Mme Métivier et de la directrice, passer par la cour, ouvrir la grille qui donne rue Julien-

Lacroix et avoir prévu de louer une camionnette pour la transporter...

– Mais Martial Boucheron ne savait rien de
la valeur de ce meuble quand il allait à l'école !
intervient Marion.

– Peut-être qu'il est aujourd'hui du métier, et
qu'en retrouvant cette vieille photo il a identi-
fié le meuble ? rétorque Zinédine. J'y suis bien
arrivé !

– Alors là !

J'en reste bouche bée. Et je ne suis pas le
seul. Même notre ancien maître n'en revient
pas, il se gratte la tête pire que s'il avait des
poux. Marion se tourne vers lui.

– Vous croyez que c'est possible ce qu'il
raconte, Zinédine ?

– Possible, oui ! Certaines écoles, il y a longtemps, ont reçu du mobilier qui n'était pas
fabriqué en série. Qu'il ait parfois été conçu
par des artistes ne me semble pas absurde, la
gloire intéressait moins ces stylistes que de voir
vivre leurs créations, et quelle meilleure consécration que d'équiper une école ? N'oublions
pas en outre qu'avant d'être connus, les gens
commencent par être inconnus !

Il a raison. Ce Brach devait débuter à l'époque.
Tout se tient.

– Bizarre, glisse Marion, elle n'est pas terrible
cette bibliothèque... Elle est même carrément
moche !

M. Claudel ne peut s'empêcher de rire.

– Le prix que valent certains objets ne correspond pas toujours à celui qu'on leur accorde ! Quand je pense que j'ai passé des années dans une classe sans me douter qu'elle contenait un trésor… Le pire, c'est que ce livre d'architecture d'intérieur, je l'ai consulté de nombreuses fois. Zinédine a vraiment un sens de l'observation exceptionnel ! Eh bien mes enfants, quelle histoire !

Je me lève.

– Vous pouvez le dire ! C'est Thibault Anderson qui va être content en apprenant qu'on utilise son nom pour commettre un vol dans une école !

– Je reviens, nous prévient M. Claudel en quittant la pièce.

Il a dû retourner devant son ordinateur, on l'entend taper sur un clavier. Il est très vite de retour, un post-it en main.

– Les Pages Blanches sont formelles : il habite 50, rue des Rigoles.

– On y va ! lance Zinédine que l'aventure captive plus que jamais.

– Vous avez vu l'heure ?

Cette remarque de M. Claudel casse notre élan.

Il sait que nous avons promis à nos parents de ne pas traîner. Mais est-ce que les détectives ont des horaires ?

– Rentrez chez vous, nous ordonne-t-il gentiment, j'irai rendre visite à Thibault Anderson et je lui exposerai la situation. Demain, je vous attendrai à la sortie de l'école, dans le petit square du bas, et je vous raconterai tout. Nous serons vendredi et le larcin est prévu samedi. Nous aurons le temps d'agir.

Simple question : est-ce qu'on arrivera à tenir jusqu'à vendredi soir ?

J'en doute.

UN ANDERSON
PEUT EN CACHER
UN AUTRE

On a tenu. Difficilement. Morgane s'est donné beaucoup de mal pour nous expliquer l'accord des participes passés, mais elle peut déjà prévoir un deuxième essai la semaine prochaine ; même Zinédine serait incapable de répéter ce qu'elle a raconté. Nous avions le regard rivé sur l'horloge, et plus d'une fois j'ai rêvé de soulever le cadran pour accélérer à la main la course des aiguilles.

Le temps a pris son temps, mais il a fini par passer.

La sonnerie du soir nous libère d'un grand poids. En bousculant un peu les autres, on parvient à sortir les premiers de l'école.

Au pas de charge, on se précipite vers le lieu de rendez-vous fixé la veille avec M. Claudel, le square qui longe la rue du Sénégal, juste en contrebas du jardin de Belleville.

Il nous salue en nous apercevant. Une autre main s'agite à côté de lui, qui ne lui appartient pas.

– Mais c'est…

Marion m'a flanqué un coup d'épaule. Pas la peine que je termine ma phrase, nous l'avons tous les trois reconnu.

– Voici donc votre trio olympique ! lance le voisin de banc de M. Claudel à notre approche.

– Monsieur Anderson ? risque Marion intimidée.

– En personne ! répond-il. Et tu dois être Marion ! ajoute-t-il en lui tendant la main.

Zinédine et moi avons droit au même accueil. Il ressemble à sa photo, avec une pointe de malice supplémentaire au fond des yeux.

– Si nous marchions ? propose-t-il. Nous aurions l'air de quoi assis en rang d'oignons sur ce banc ?

Proposition acceptée. M. Claudel ne nous laisse pas mariner longtemps.

– Alors voilà, j'ai tout expliqué à Thibault Anderson, les manœuvres subtiles de notre ami Martial Boucheron, son objectif, vos soupçons, vos découvertes…

– Remarquable boulot, les enfants ! nous félicite l'écrivain d'un ton sincère.

– Bonne nouvelle, poursuit notre ancien maître, M. Anderson a rapidement levé les doutes que nous avions ; ce Boucheron est un parfait inconnu pour lui, et il ne s'explique absolument pas comment il a pu prendre sa place.

– Exact, poursuit Thibault Anderson, j'ai été mis au courant par mon éditeur de la sélection de *L'assassin fait le mort* pour le prix Encre Noire mais à aucun moment je n'ai été contacté, ni par votre maîtresse ni par personne d'autre, pour intervenir auprès d'élèves dans le cadre de cette sélection. J'ajoute que je n'ai reçu aucune visite suspecte.

– En conclusion, nos craintes n'étaient pas fondées. Votre Martial Boucheron est certainement un voleur, mais ce n'est pas une crapule...

M. Claudel sourit à l'écrivain.

– ... Les enfants vous voyaient déjà enlevé, retenu de force, assassiné !

– Grands dieux non ! s'exclame Thibault Anderson. Mais même si nous n'en sommes pas rendus à ces extrémités, j'ai bien l'intention d'interrompre la carrière de cet individu ! Je déteste être utilisé.

– Vous allez tout raconter à la police ? demande Zinédine d'une voix hésitante.

L'écrivain le regarde, puis nous examine à tour de rôle. Nous ne savons pas exactement ce que M. Claudel lui a confié, s'il lui a fait part de nos réticences à voir débarquer la police dans cette histoire.

Le ton de Zinédine a été éloquent, la police ne déclenche pas notre enthousiasme. Dans le quartier, ça ne se fait pas trop...

L'écrivain met fin à son moment de réflexion.

— Je ne pense pas, nous confie-t-il en grimaçant. Vous seriez obligés de témoigner et je n'aime pas mêler les enfants aux problèmes des grandes personnes. D'un autre côté, pas question que ce petit jeu, s'il se poursuit, vous fasse courir des risques. Auriez-vous une nouvelle idée à nous soumettre ? Vous semblez en avoir en réserve...

— Il faudrait l'empêcher de commettre son vol, commence Marion.

Zinédine prend le relais.

— À tous les coups il agira demain matin, c'est le moment que choisit en général Mme Métivier pour faire ses courses ; je la croise souvent chez ED.

À mon tour.

— Grâce aux clés de la grille, il pourra garer sa camionnette dans la cour et embarquer la bibliothèque en vitesse.

— Il faudrait lui faire peur, dit Marion.

— Le prendre sur le fait, complète Zinédine.

– L'obliger à tout abandonner et à disparaître, je poursuis. Sous peine d'être dénoncé !

Marion gesticule sur place, emportée par son idée :

– On le prend en photo ! C'est ça, on le photographie pendant le vol ! Il sera coincé !

Je tousse discrètement. Je pense à un truc, uniquement parce que je suis meilleur au Monopoly qu'au karaté.

– Imagine un peu qu'il nous saute dessus pour nous prendre la pellicule ? On fait quoi ?

Thibault Anderson lève la main pour demander la parole. En présence d'un instituteur, même retraité, il reprend de vieilles habitudes.

– Je crois pouvoir apporter ma contribution à votre entreprise. Et trouver un moyen de le dissuader de réagir. Il suffit de le convaincre qu'il a fait ce qu'il n'a pas fait…

On ouvre grands nos yeux. Qu'est-ce que ça veut dire ?

Thibault Anderson sourit.

Pour une fois que l'aventure l'attend en dehors de ses livres…

ON PASSE À L'ACTION

À l'abri dans le renfoncement d'une porte cochère à l'angle de la rue Lesage, je scrute les parages. J'ai été parachuté guetteur en chef, un poste crucial. Grâce aux clés qu'a gardées M. Claudel après son départ, les autres sont déjà en place.

Pour le moment, c'est calme autour de moi. J'ai vu passer Salamata encadrée par sa mère et sa petite sœur, puis Mme Métivier accompagnée de son mari. Leur 205 a bifurqué rue Ramponeau, sans doute en route vers ED.

Il est dix heures moins le quart. Je suis fébrile. Tout est calculé mais on ne sait jamais.

Imaginons que Martial Boucheron, au plus fort de l'action, sorte une collection de grenades et menace de faire sauter tout le quartier.

Des types qui dérapent de la tête, c'est fréquent...

Je n'ai pas le temps d'imaginer de plus terrible scénario, mon attention est attirée par le bruit caractéristique d'un moteur de camionnette.

La voilà !

Je ne m'étais pas trompé. *Loue Tous Véhicules* lui barrant le flanc, elle passe près de moi et mord du capot sur le bateau placé devant la grille qui donne sur la cour de l'école.

Le passager en descend, un moustachu taillé comme un lutteur de foire. Il glisse une clé dans la serrure, ouvre la grille pour livrer passage à la camionnette dont le conducteur n'a pas coupé le moteur. Le véhicule pénètre dans la cour et le moustachu referme la grille.

Dans le coin, pas de réaction. Les passants passent, la vie continue. Ça se vérifie : ce sont les événements les plus suspects qui se remarquent le moins.

Je quitte mon abri et traverse au pas de charge la rue Julien-Lacroix en sifflant longuement, deux trilles puissants de super merle pour avertir les autres. Bientôt, je me retrouve devant la porte de l'école. Trois coups discrets au battant et elle s'entrebâille. Le nez de Marion se profile.

– C'est moi, je lui dis dans un souffle.

Une minute plus tard, nous voilà cachés dans le local des dames de service, aux aguets.

Les deux visiteurs ne tardent pas à emprunter les escaliers, après avoir dégagé l'accès à la cour. On les laisse monter et je me faufile dehors.

Un coup d'œil rapide à l'intérieur de la camionnette m'apprend que les clés sont restées sur le tableau de bord. Merci la chance ! Je tends le bras et les subtilise. Là-bas, Marion, d'un signe du pouce, semble me dire « Bien joué Lucas ! ».

Je me sens pousser des ailes.

Je la rejoins et l'entraîne à ma suite dans les étages. À quelques mètres de notre salle de classe, on se fige sur place.

Une voix forte nous parvient.

– Prends-la de ton côté ! À trois, on soulève ! Et fais gaffe de ne pas l'abîmer ! Un, deux…

Martial Boucheron donne ses ordres à son complice.

Normalement, je ne devrais pas tarder à entendre une autre voix… Effectivement.

– Souriez s'il vous plaît !

Puis le déclic d'un appareil photo. On s'avance jusqu'à la porte.

Le spectacle vaut le détour.

Entrés par la porte de communication qui mène dans la classe voisine où ils s'étaient réfugiés, Zinédine et M. Claudel se tiennent derrière le bureau de Morgane, près de Thibault Anderson qui pointe encore sur les deux voleurs statufiés chacun à un bout de la bibliothèque l'appareil avec lequel il vient de les flasher. Sur les tables les plus proches, les livres descendus des rayonnages forment des tas inégaux. Notre apparition ne fait qu'accentuer la surprise qui se lit sur le visage de Martial Boucheron.

– Qu'est-ce que... ? C'est quoi qui... ? Peux-tu me... ?

On fixe la bouche du moustachu qui vient de lâcher ces morceaux de questions d'une voix ridiculement haut perchée. Il panique dur.

– Qui êtes-vous ? demande Martial Boucheron en s'adressant aux adultes qui nous accompagnent.

Parce que nous, évidemment, il nous a reconnus ! Un autre flash lui répond.

– Je m'appelle comme vous, lui répond enfin le photographe amateur, Thibault Anderson !

L'annonce a du mal à passer, Martial Boucheron ouvre les yeux de celui qui voit débarquer des Martiens dans son salon.

– Fichons le camp, s'écrie le moustachu, je n'aime pas ça ! Tu m'avais dit qu'il n'y aurait personne.

– Non ! se cabre soudain l'autre en posant la bibliothèque.

On a un mouvement de recul. Il est en colère. Il fait un pas en avant.

– Donnez-moi cet appareil ! gronde-t-il.

L'atmosphère change brusquement. Dans mes veines, mon sang fabrique des glaçons.

J'ai l'impression que ça tourne à l'eau de boudin...

JOKER

Marion se serre contre moi. La situation se dégrade, mais ça a du bon. Le calme qu'affiche Thibault Anderson est impressionnant. Il secoue la tête :

– Non. La carte sur laquelle est fixée la preuve de votre tentative de vol ne quittera pas ce numérique, et ce numérique ne quittera pas ma main. En revanche, vous allez quitter cet endroit pour ne plus jamais y remettre les pieds.

– C'est ce qu'on va voir ! réplique Boucheron sans se démonter.

– C'est tout vu ! Jetez donc un petit coup d'œil sur les photos que M. Claudel va avoir l'amabilité de vous montrer.

À ce nom, Martial Boucheron rougit légèrement et baisse la tête. La mine sévère, convaincu qu'il ne craint rien de celui qui restera à jamais un de ses anciens élèves, M. Claudel s'avance et lui tend une épaisse enveloppe. Gêné, il la décachette, en extrait une série de clichés qu'il passe en revue. Après avoir rougi, il blanchit et lève la tête comme s'il portait une perruque d'une tonne.

– C'est quoi ce micmac ?

– Simple, répond Thibault Anderson. Pour pénétrer dans la classe, vous approprier les clés de la grille, découvrir l'emploi du temps de la gardienne et de la directrice, vous m'avez agressé et retenu chez moi pendant plusieurs jours, ligoté sur une chaise, dans des conditions éprouvantes. Ces clichés ont été retrouvés chez moi par M. Claudel, un ami venu par hasard me rendre visite, et qui m'a délivré. Dieu seul sait ce que vous aviez l'intention d'en faire ! Demander une rançon peut-être ?

– Mais c'est absurde ! Je ne vous connais même pas !

J'imagine qu'ils ont dû bien s'amuser hier soir pour prendre ces photos, l'écrivain et le maître en retraite. Le second qui saucissonne le premier, j'aurais aimé assister à la scène…

– Monsieur Boucheron, tout cela n'a qu'un but, vous convaincre d'abandonner votre projet immédiatement, et de faire une croix dessus pour les cent ans à venir. Dites-vous qu'au lieu de discuter tranquillement avec nous, vous pourriez vous retrouver en tête à tête avec un lieutenant de police. Si vous disparaissez, ces photos resteront à jamais dans mon album de souvenirs personnels.

Martial Boucheron courbe l'échine, vaincu.

– Bon, on se taille ? le presse le moustachu.

Thibault Anderson les arrête d'un geste.

– Une seconde encore... J'aimerais que vous m'expliquiez ce qui vous a permis de monter votre coup, simple curiosité professionnelle...

Le double de l'écrivain est encore abasourdi. Son expédition est un fiasco complet. Il se secoue, lève enfin les yeux, et commence.

– Je suis dans la partie, les antiquités, le mobilier. Je traverse quelques difficultés depuis un bon moment. Un jour, en classant des papiers, mon regard s'arrête sur une vieille photo de classe et je manque m'étrangler ; je reconnais immédiatement une pièce d'une grande valeur, cette bibliothèque, a priori signée par...

– ... Théodore Brach ! le coupe Zinédine, très fier.

– Exact, dit Boucheron, éberlué. Je vois que... Bref, petit à petit, l'idée de la récupérer fait son chemin. Je connais des acheteurs américains qui se passent volontiers de factures.

Avant, je dois vérifier qu'elle se trouve toujours à l'école. Je sais que beaucoup d'établissements sont connectés à Internet, je navigue sur le site de la ville, j'y découvre celui de cette école. Je comprends qu'un prix littéraire va être décerné, et que le roman de Thibault Anderson risque de décrocher le pompon. Je téléphone à l'enseignante qui pilote l'expérience et je lui raconte que je suis Thibault Anderson, que j'ai découvert sur le Net les commentaires élogieux écrits par ses élèves sur mon livre, et que je serais ravi de leur rendre visite, même de les aider à écrire. Elle accepte ma proposition avec enthousiasme. Je me procure *L'assassin fait le mort*, je le lis rapidement... Le tour était joué.

Un malin, ce Boucheron ! Morgane n'avait jamais vu l'écrivain, elle n'avait aucune raison de se méfier, quel intérêt aurait-on eu à la tromper ?

Martial Boucheron poursuit son récit. Il correspond en tous points aux conclusions auxquelles nous sommes parvenus par déductions. À la fin, il s'accorde un court silence, puis demande :

– Comment avez-vous compris ?

– Je n'y suis pour rien, dit Anderson, ce sont les enfants !

– Les enfants ?

Son regard glisse sur nous.

– Les enfants... répète-t-il d'une voix lasse. Si j'avais pu me douter...

D'un pas lourd, il se dirige vers la porte. Marion et moi, on s'écarte. Au passage, je lui tends le trousseau de clés de la camionnette.

– Au cas où vous auriez essayé de fuir, explique Thibault Anderson dans son dos. Et vous laisserez les clés sur la grille en partant !

Martial Boucheron prend le trousseau sans se retourner. Plus rien ne l'étonne. Puis, suivi d'un piteux moustachu, il prend congé.

Dans la salle, on se regarde. Le soulagement est partagé. On peut crier victoire, on va crier victoire, mais c'est Marion qu'on entend en premier :

– Vraiment, qu'est-ce qu'elle est moche, cette bibliothèque !

ET LE GAGNANT EST...

La salle de réception de la mairie est pleine à craquer. Je crois qu'il ne manque aucun CM2 de l'arrondissement à l'appel. On forme une troupe indisciplinée et braillarde qui teste à sa façon l'acoustique de la salle.

Notre classe est regroupée sur deux rangées de chaises, à droite de la scène dressée pour l'occasion. Côté allée centrale, Morgane ferme celle où nous nous trouvons, Zinédine, Marion et moi ; je la sens tendue, elle ne souhaite pas que nous nous fassions remarquer.

En grande conversation avec le maire, une grappe d'écrivains domine l'assemblée chahuteuse.

– T'as vu, je chuchote à l'oreille de Marion, il s'est mis sur son trente et un…

Là-bas, comme s'il avait senti qu'on parlait de lui, Thibault Anderson fait volte-face et nous adresse un salut discret. Il a fière allure parmi ses rivaux d'un jour dans sa veste en cuir noir ouverte sur une chemise blanche.

– S'il vous plaît ! tonne une voix dans les haut-parleurs.

Je repère le micro dressé derrière un pupitre. Un homme en costume gris joue les maîtres de cérémonie.

– Une chanson ! Une chanson ! bramment Farid et Simon dans mon dos.

Immédiatement, Morgane les ramène au calme en roulant des yeux furieux. Sur la scène, les invités s'alignent bras croisés sur la poitrine ou mains au dos.

– Mesdames, mesdemoiselles, messieurs, reprend le costume gris lorsqu'un calme relatif s'est installé, bienvenue à la mairie du XXe pour la première remise du prix Encre Noire ! À l'initiative de cette opération, ils sont nombreux et je vais essayer de n'en oublier aucun. À commencer par monsieur le maire qui…

J'ai déjà décroché. Les discours, ça m'endort. Je ne suis pas le seul, Thibault Anderson pique un peu du menton.

– S'il pouvait abréger son baratin ! chuchote Zinédine.

Le costume gris arrive enfin au bout de son laïus, mais ça ne coïncide pas avec le bout de nos peines ; un costume bleu le remplace et rebelote. Celui-là est de l'Inspection, on l'a déjà vu à l'école, il est venu noter Morgane.

La parlote s'éternise. Juste avant que le public ne s'évanouisse par groupes de dix, on en arrive au fait.

— Après dépouillement des bulletins, je suis très fier et très heureux de remettre le prix Encre Noire à... Thibault Anderson pour son roman *L'assassin fait le mort* !

Concert d'applaudissements ! Notre classe bat des mains plus fort que tout le monde. L'écrivain souriant s'avance vers le costume bleu et reçoit son trophée, un encrier en métal fixé sur un support noir.

— Un discours ! Un discours ! Un discours !

On crie comme des fous, ça résonne, on est tellement contents, un peu comme si on avait aussi gagné.

Il s'approche du micro, l'empoigne, l'approche de ses lèvres et dit :

— Merci.

— Bravo ! hurle Zinédine, bientôt relayé par toute la classe, bien dit !

Le costume bleu essaie de ramener le silence, mais il rame... Les enseignants présents lui prêtent main-forte et il finit par obtenir un bruit supportable qui l'autorise à reprendre.

– Ce n'est pas tout ! En marge de ce prix qui échoit à un auteur consacré, nous tenons à en décerner un second. Un bon nombre de classes ont profité du travail effectué sur les livres pour en engager un autre, d'écriture de nouvelles cette fois, et l'excellente qualité générale des textes nous a donné envie de récompenser celui qui se détache du lot, une œuvre collective que nous devons à certains élèves de la classe de Mlle Morgane Toccanini. J'aimerais que nous rejoignent sur scène Zinédine Boufaïd, Marion Dalmas et Lucas Margerit.

Nos trois bouches forment des ronds parfaits. En bout de rangée, Morgane, cramoisie de fierté, nous invite à la rejoindre. À la queue leu leu nous la suivons, sous une deuxième salve d'applaudissements nourris.

Au passage, je capte un clin d'œil de M. Claudel qui s'est glissé parmi les spectateurs du premier rang. Une minute plus tard, les bras ballants près du costume bleu, nous l'écoutons finir.

– Votre remarquable nouvelle, intitulée *L'Écrivain et son double*, a suscité l'admiration du jury, tant pour son style, clair et précis, que pour l'étonnante histoire qu'elle vous a permis de développer. Je la résume en quelques mots : un écrivain invité à se rendre dans les écoles est remplacé par un individu qui se fait passer pour lui. Il profite de sa présence dans une classe pour dérober des ouvrages de valeur oubliés dans le fonds de la bibliothèque. Son action est heureusement entravée par la sagacité d'un groupe d'élèves. D'où vous est venue cette idée ?

– Oh ! Comme ça, en discutant entre nous, répond Zinédine.

– En tout cas, bravo à vous trois ! Vous avez bien mérité les lots qu'on va vous distribuer.

On nous apporte trois piles de livres entourés de rubans, de quoi occuper Zinédine quelques heures, et moi pendant quelques mois. J'en profite pour me pencher vers mon copain.

– Tu peux m'expliquer ce qui se passe ?

– Quoi ? J'ai écrit la nouvelle, c'est tout !

– Seul ?

– Oui. Mais je raconte un travail d'équipe, normal qu'on soit associés jusqu'au podium.

– T'aurais pu nous prévenir.

– J'aime bien les surprises…

Je tords un peu la bouche pour exprimer un mélange de reproche et de gratitude. Mon copain est un vrai copain. Marion, aussi désarçonnée que moi, approche son visage du mien ; je la stoppe dans son élan :

– Je t'expliquerai.

La cérémonie touche à sa fin. Le costume bleu échange quelques mots avec Morgane.

Cette récompense tombe bien, après ses déconvenues. Thibault Anderson l'a rencontrée pour lui expliquer que sa route avait déjà croisé celle de ce Martial Boucheron, un inoffensif qui s'amusait à jouer à l'écrivain sur son nom, et dans son dos. Elle a été toute retournée d'avoir été bernée. Anderson a proposé une rencontre pour effacer ce mauvais souvenir, acceptée avec enthousiasme, et aussitôt programmée pour la semaine suivante.

On se rassemble par classes. Nous sommes les héros de la nôtre et, à ce titre, placés en tête de convoi. Le retour est triomphal. La gloire qui entoure notre groupe rejaillit sur toute l'école. Nous sommes les meilleurs écrivains de Belleville. Et donc du monde !

À quand une interview pour *Bouquin Bouquine* ?

DERNIERS REBONDISSEMENTS

La classe à la mi-juin. Visite de l'écrivain. Mais le vrai, cette fois. Thibault Anderson fait circuler dans les rangs certains de ses manuscrits, des feuilles noircies et raturées dans les marges desquelles, si elles m'appartenaient, Morgane écrirait des trucs du genre « Peux-tu t'appliquer ? » ou encore « Je ne suis pas Champollion ! ».

Il nous confie ses doutes, son angoisse au moment d'envoyer un texte à son éditeur, sa joie quand il apprend qu'il sera publié. Le portrait de ses éditeurs ne ressemble en rien à celui dressé par l'imposteur, il apprécie leur regard sur ses lignes, leurs remarques.

– On apprend beaucoup des autres, je pense, nous confie-t-il en triturant un stylo, les fesses appuyées contre le bureau.

Moi, j'ai adoré quand il nous a avoué dès le début qu'il était nul en orthographe à l'école primaire. Morgane a pouffé dans la paume de sa main à ce moment-là. Et M. Claudel a souri.

Parce qu'il a insisté pour assister à la séance. Assis au fond de la classe sur une chaise trop petite pour lui, il prend des notes sur un cahier à spirale. À voir ce qu'il griffonne, il lui faudra bientôt un deuxième cahier. Nous, on sait pourquoi… Peut-être qu'un jour nous le retrouverons à la place d'Anderson. Ce serait rigolo d'entendre au collège un prof nous annoncer la visite d'un écrivain appelé M. Claudel.

– Oui ?

Zinédine a levé la main. Je lui trouve les joues un peu rouges. Un morceau de papier en main, il prend la parole.

– Monsieur, dans *L'assassin fait le mort*, où Boris trouve-t-il l'arme qui lui sert à menacer le gardien de son immeuble ? Vous écrivez qu'il la sort d'une boîte à biscuits dissimulée dans sa cave alors que cette cave a été fouillée la veille par les policiers qui mènent l'enquête.

Ça me rappelle quelque chose… Ah oui, la zinédienne question qui tue. Il a dû la conserver au chaud dans sa trousse, au cas où. Croirait-il encore que nous avons affaire à un imposteur ?

– C'est indiqué brièvement dans le quatrième chapitre, jeune homme, répond notre invité. Boris a interverti les numéros de caves pour tromper le lieutenant Kamel et l'empêcher de découvrir son pistolet. Mais tu le savais, n'est-ce pas ? Tu cherches à me tester ?

Zinédine égale tomate. Il est tout gêné, mon copain. C'est un malin, Anderson. Il faut dire qu'il sait d'où nous est venue l'idée de la nouvelle lauréate. Mais c'est resté confidentiel, nous avons compris que Morgane ne tenait pas à ce que l'affaire s'ébruite.

La rencontre s'achève. La maîtresse promet à Anderson d'acheter tous ses romans et de leur réserver une place de choix dans la bibliothèque de la classe. Sûr que Zinédine va sauter dessus. Moi, même si je le trouve sympa, je pense que je les découvrirai avec parcimonie. Il ne faut pas abuser des bonnes choses, paraît-il.

M. Claudel a quitté sa chaise et s'avance vers l'écrivain, une enveloppe en papier kraft sous le bras. Ils échangent quelques mots. Je m'approche discrètement.

– Je vous promets de le lire, cher monsieur, dit Anderson qui se retrouve avec l'enveloppe dans la main, mais vous savez, je ne suis pas éditeur…

– C'est juste pour avoir votre avis de professionnel. J'en tirerai un profit certain. Vraiment, je vous remercie…

M. Claudel est méconnaissable. Il me rappelle Raymond quand il lui avait rendu un exposé sur les dinosaures l'année dernière ; il s'était donné du mal mais il ne savait pas si c'était réussi. Notre ancien maître tripote nerveusement le bout de ses doigts et je jurerais qu'il a emprunté à Zinédine un peu de son rouge à joues.

On se met en rangs dans le couloir. Je sens le bras de Marion plaqué contre le mien. L'année n'est pas terminée, elle nous réserve peut-être d'autres surprises.

En ce qui me concerne, je pense surtout aux mercredis à venir.

À la prochaine balade, promis, je me consacre à ma nouvelle mission.

Une mission autrement plus délicate que la chasse à l'écrivain.

Lui prendre la main…

L'AUTEUR

1961 Naissance de **Stéphane Daniel** en Bretagne. L'office de tourisme de son village continue de ne pas le mentionner sur ses brochures afin d'éviter l'invasion de hordes de fans hystériques. On a toutefois conservé en l'état les trottoirs sur lesquels il a marché.

1981 Il devient instituteur, mot qui se prononcera professeur des écoles quelques années plus tard (en réalité, quelques *dizaines* d'années plus tard...).

1993 Publication de son premier roman. Impossible d'intenter à l'auteur de *Harry Potter* un procès pour plagiat puisqu'il n'existe absolument aucun point commun entre les œuvres. Dommage.

Aujourd'hui Il a écrit une quarantaine de textes. Et vous souhaite la bienvenue sur ses lignes intérieures (un repas vous sera servi à bord).

DANS LA MÊME COLLECTiON

Retrouvez tous les titres de la collection

Heure noire

sur le site **www.rageot.fr**

Achevé d'imprimer en France en août 2008
par CPI - Hérissey à Évreux.
Dépôt légal : octobre 2008
N° d'édition : 4794 - 01
N° d'impression : 109355